声にコンプレックスがある人のための

「伝わる声」の作り方

タイプ別

声質を活かした話し方で成果を出す！

ボイスコネクション代表
スピーチコンサルタント
轟 美穂 著

自分の声が嫌い

「声が小さい」「もっと明るい声で」と
よくダメ出しされる

声が大きくて「やかましい」とか
「空気が読めない」と言われる

大きな声を出そうとしても出せない

無理に声を大きくしようとして
声がかすれてしまった

人前でしゃべる時に固まってしまう

声を変えられたらいいのに

……この本はそんなあなたのための本です。

はじめに

私は、アナウンサー時代に自分の滑舌の悪さと声量に悩み、様々な方法で声を変えようとトレーニングをしましたが、自分の理想とする声にはなれませんでした。どうしたら声が良くなるのか知りたくて、音声外科の世界的権威である京都大学医学部名誉教授の一色信彦先生の押しかけ弟子となり、声の研究を始めました。一方、2006年より「声と話し方の教室」を主宰。これまでに約1万5千人の、自分の声に悩む人たちを指導してきました。

様々な職業の方へのレッスン・研修を行う中で、受講生の多くが「声が変われば話し方が良くなる」と思われていることに気づきました。裏を返せば「そもそも自分の声がダメだ」という思いが根底にあるということです。

「良い声になりたい！」と思うこと自体は決して悪いことではありませんが、声を変えるためのトレーニングは時間がかかるため、途中で挫折してしまう人が少なくありません。

それだけではありません。「そもそもの自分の声ではダメだ」

とダメ出しをしながら声トレを続けていくと、せっかくのもって生まれた声の個性を殺すだけでなく、もともとの声質を無理に変えようとすることで、悪い発声習慣が身につき、ひどい時には発声障害になってしまうこともあるのです。自分の声の悪いところや改善点ばかりに着目して、本来持っている良さにまったく気づかない。さらに自分の声を犠牲にしてしまう…それはあまりにももったいないことです。

そこで本書では、「声は変えない」という大前提のもと、自分の声の特性を知り、受け入れ、活かしていく方法をお伝えします。

まず、本書では声タイプ診断をしていただきます。

どんなタイプの声も相手にとって心地よく聞こえたり、その場のコミュニケーションがうまくいく良い面（A 面）となる時と、状況によっては耳障りに聞こえたり、聞き取りづらかったりしてコミュニケーションに支障をきたす良くない面

（B 面）となる時があります。それぞれの面を本書では「A 面」「B 面」と呼びます。A 面をよりいっそう磨いて、B 面になりそうな場面では工夫して改善していきましょう。

自分に合った声で話せるようになると、自信をもって話せるようになります。自信をもって話せば、少々わかりづらくても、論理的につながっていなくても、人に聞いてもらえますし、想いは伝わります。逆に自分の声はダメだと思っていると、説得力がなくなり、想いを伝えることはできません。

ぜひ楽しく声タイプ診断をして、あなたの声に合った練習を、取り組みやすいものから始めてみてください。

本書が、あなたが自分の声を好きになり、自分らしさに自信を持つきっかけになりますことを心から願っています。

轟　美穂

本書の使い方

プロローグ　声について知りましょう

本書を読んでいただくにあたって**知っておきたい声についての基本(❶)**を紹介しています。また本書では、「自分の声の特性を知り、受け入れ、活かしていく方法」をお伝えしますが、その際にベースとなる**声の8タイプ(❷)**と、**そのA面(強み)、B面(弱み)について(❸)**紹介しています。❶❷❸を頭に入れてから読み進めていただくと、第3章以降のテクニカルな内容が理解しやすくなります。

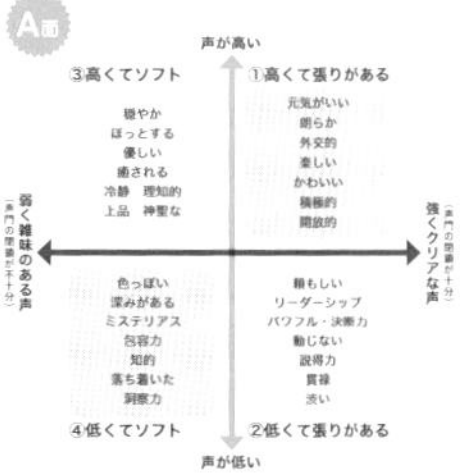

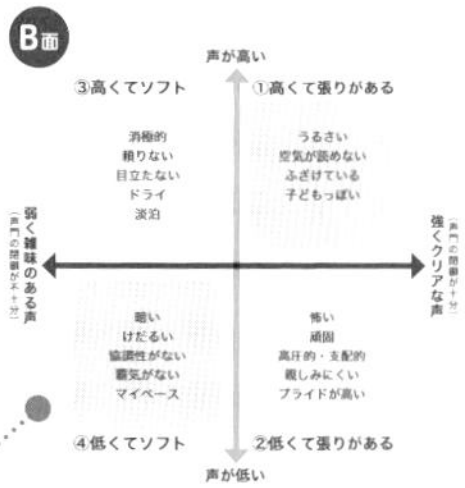

声の8タイプを示すマトリックス　　A面・B面の特徴を示しています

第1章

自分の声質を知らずに生きている人が損をしてしまう理由

私の失敗体験をふまえ、自分の本来の声質を知り声質を活かした声の出し方を学ぶことが人生を拓く道筋となることをお伝えします。

第2章

「声質に合った話し方」をするとこんなに生きやすくなる

自分の声の欠点を“変えよう”とするのではなく欠点を逆手にとって強みにしたことで、成功した人たちの体験談を紹介します。

第3章　あなたの声を診断してみましょう

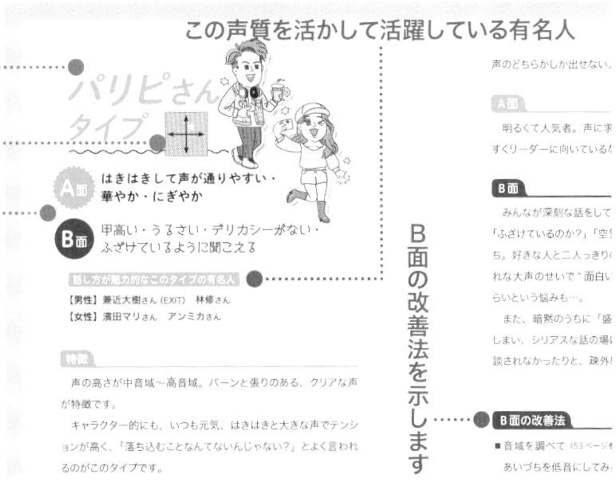

あなたの声が8タイプのうちどのタイプかを知る簡単な診断法を紹介します。診断結果が出たら、タイプごとの強み・弱みを知り、強みの活かし方、弱みの改善法を理解しましょう。

第4章　B面をプラスに変える話し方

B面の弱点を改善するための具体的な戦略を紹介。今日からすぐできる21の練習法も紹介します。できることから挑戦しましょう。

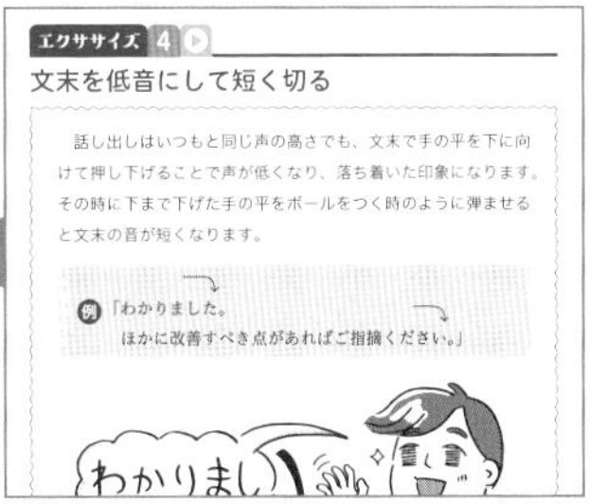

第5章　【場面別】自分の声を活かした話し方

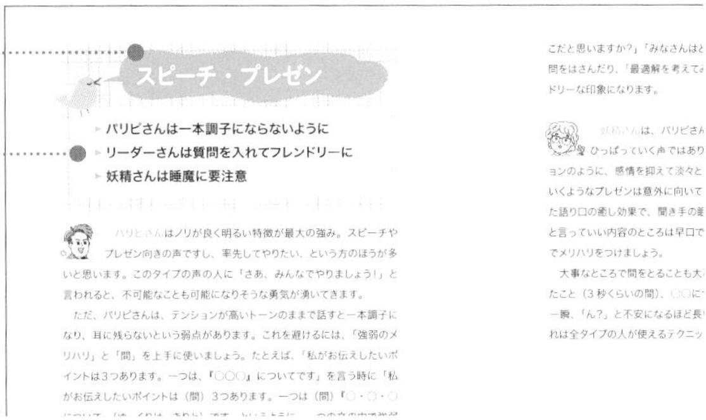

ビジネスや生活シーンごとに、みなさんの声の特徴を生かした話し方について解説します。

目次

声にコンプレックスがある人のための「伝わる声」の作り方
タイプ別「声質を活かした話し方」で成果を出す！

第3章　あなたの声を診断してみましょう

第4章　B面をプラスに変える話し方

第5章 【場面別】自分の声を活かした話し方

Column

プロローグ

声について知りましょう

声ってどのようにして出るのでしょう。なぜ人によって声が違うのでしょう。
今まで当たり前すぎて意識したことがない"声"について考えてみましょう。

声はどのようにして出るの？

声の出るしくみは実に複雑です。しかも声は、私たちが見ることができない器官を経て発せられるため、その仕組みが理解しづらいかもしれません。

ごく簡単に述べると次のようになります。

① 肺から声帯に空気が送られます（呼気）。

② 呼気が声帯を振動させることで音（喉頭原音）が出ます。

③ 喉頭原音が、共鳴腔（喉頭の上部、咽頭腔、口腔、鼻腔のこと）を通って声となります。

④ 歯や唇、舌、顎などを使って母音や子音を発音し、言葉を発します。

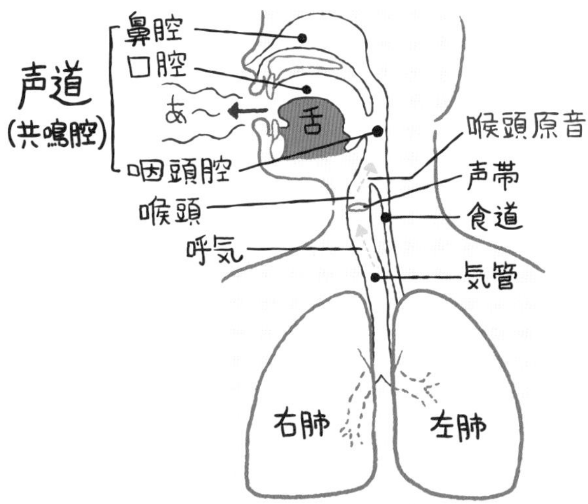

※母音とは、あ[a]、い[i]、う [ɯ]、え[e]、お[o]、子音はそれ以外をいいます。たとえば、か[ka]、き[ki]、く [kɯ]、け[ke]、こ[ko]なら、子音は「k」、さ[sa]、し[ʃ i]、す[sɯ]、せ[se]、そ[so]の子音は「s」、「ʃ」です。

声はどのように決まるの？

声が出るのは、肺から吐いた息で声帯が振動するからです。つまり、私たちが生きていて、呼吸をしているから声が出るのです。声帯が振動することによって出る喉頭原音は、「ブー」というブザーのような音です。これは、声を作るうえで一番重要な音です。

喉頭原音が、声道と呼ばれている喉頭、咽頭、口腔、鼻腔で共鳴して声となり、さらに歯や唇、舌、顎などで言葉が作られて話し声として口から出ていきます。

声が人によって違うのは、声帯の長さや太さ、声道の長さ、使い方が一人ひとり違うからです。それだけでなく、文化的背景、理性、感情、環境などが複雑に影響して、呼吸を変えているので、声も変わるのです。「声を聞くとその人がわかる」と言われているのもわかりますね。

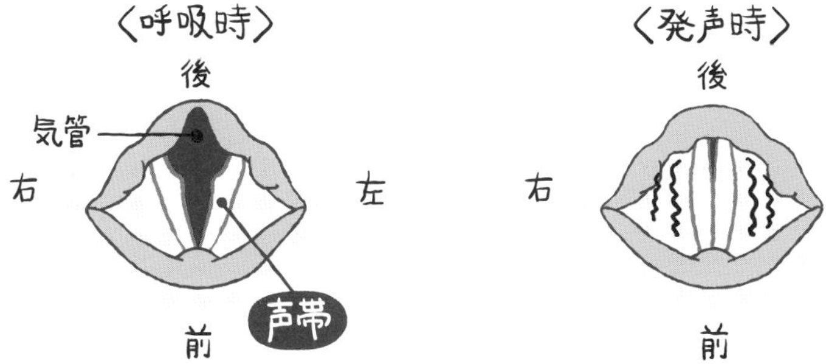

声帯を上から見た図です。声帯は2枚のひだで、呼吸時は開いていますが、発声時は声帯が閉じたり開いたりして振動することで声になります。声帯の2枚のひだの隙間を声門といいます。声帯が振動するときに声門の閉鎖が十分であれば強くクリアな声が出ます。声門の閉鎖が不十分だと雑味（ノイズ）の混ざった弱い声になります。

声質マトリックス

本書では声のタイプを声の高低と声の強さという２つの要素を掛け合わせ、さらに話すスピードを加味して分類しています。実際にはほかにも要素がありますが複雑になるため、本書ではこの３つの要素に絞りました。

右図は、縦軸を声の高低、横軸を声の強さとして声タイプを分類したマトリックスです。詳しい診断方法は第３章で説明しますが、まずは自分の声はどこにあてはまりそうか探してみてください。

声帯は左右２枚のひだ状の粘膜で、両方の声帯の隙間は「声門」と呼ばれています。声が出る時は２枚の声帯が中央に寄り、肺からの空気によって、声門が閉じたり開いたりして声帯が振動します。声門が閉じている時の閉鎖が十分であれば、強くクリアな音質、声門閉鎖が不十分だと、弱く雑味のある声になる傾向があります。

声門閉鎖が不十分で声が弱く小さくなる理由は、単に吐く息のパワー不足であったり、声帯を閉じる筋肉運動、また声帯粘膜の異常がある場合などさまざまです。

いつもは弱い呼気で話し、声を大きくしたい時には吐く息を強くするというように、呼気の調節が上手にできる人は、マトリックスの左右のタイプ両方とも自分のタイプだと感じるかもしれません。

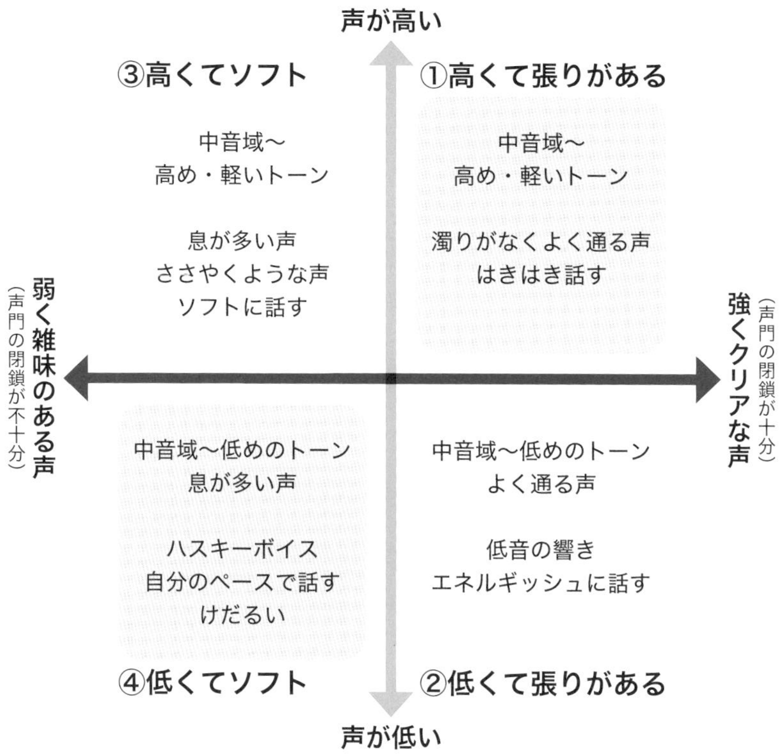

声タイプのマトリックス。声門の閉鎖が十分であれば、強くクリアな声、声門閉鎖が不十分な場合は、弱く雑味のある声になります。声門の閉鎖が十分か不十分かは、声帯を内転させる筋肉が強いか弱いかのほか、様々な要因で決まります。ポリープなど声帯の異常によって声門に隙間ができることもあります。筋肉が要因である場合は、ボイストレーニングによって変わることがあります。

どの声タイプにもＡ面・Ｂ面がある

多くの人は、自分の声にコンプレックスを持っています。でも、２つのマトリックスに示すように、どんな声にもＡ面（強み）とＢ面（弱み）があります。Ａ面の良さが十分出せている時は、どのタイプの声もいい声なのです。自分の声のＡ面に着目し、Ｂ面は工夫して改善していきましょう。そして、自分の声を好きになっていただきたいと思います。

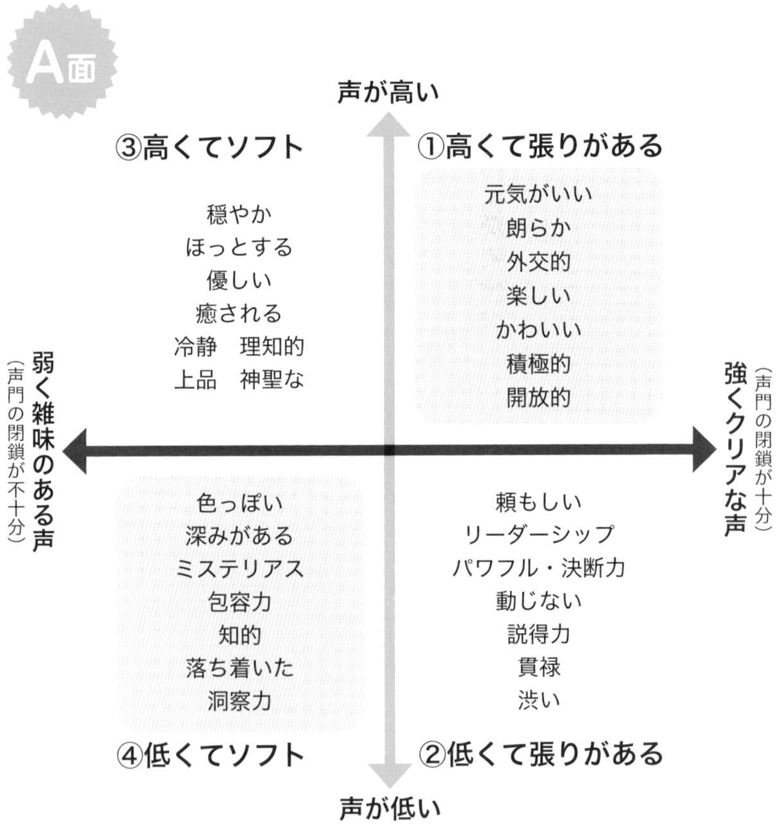

以下はＢ面の特徴です。これらの特徴は、あくまでも声から受ける印象であり、その人の性格を表すわけではありません。

これらは弱点ではありますが、声を無理に変えなくても、話し方の工夫で改善することができます。その方法は第４章、第５章で詳しく述べます。

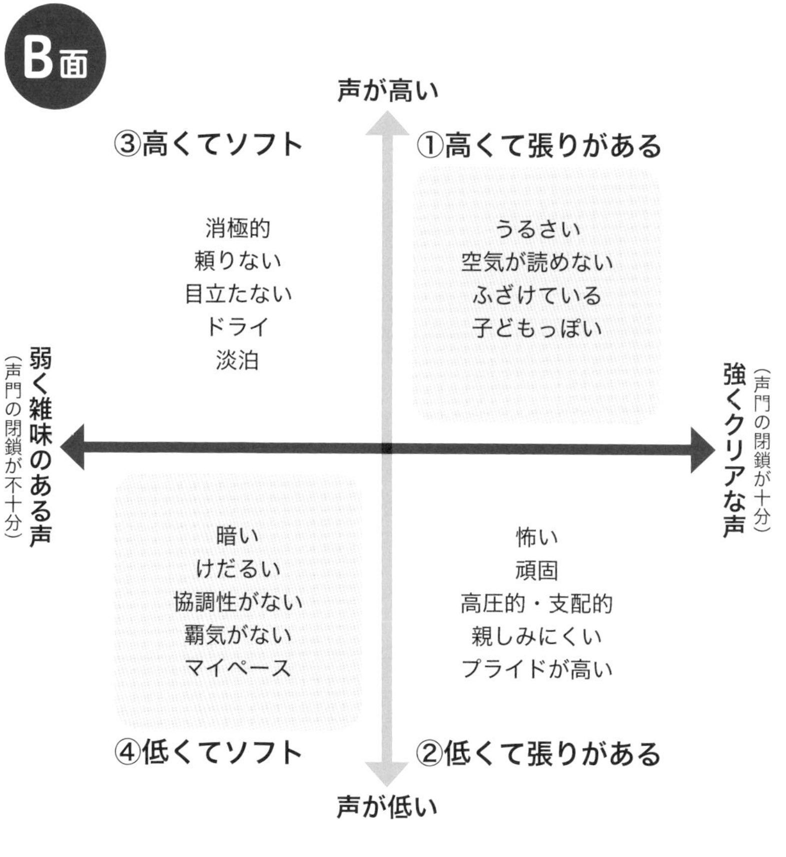

８つの声タイプ

本書では声のタイプを、声の高低、声門の閉鎖の強弱の２要素に、話すスピードを加え、８つに分類しました。それぞれのタイプごとの特徴や、強みと弱み、弱みの克服法を紹介していきます。

自分がどの声タイプなのか、診断方法は、第３章で紹介しています。まず、自分の声タイプを知ることから始めましょう。

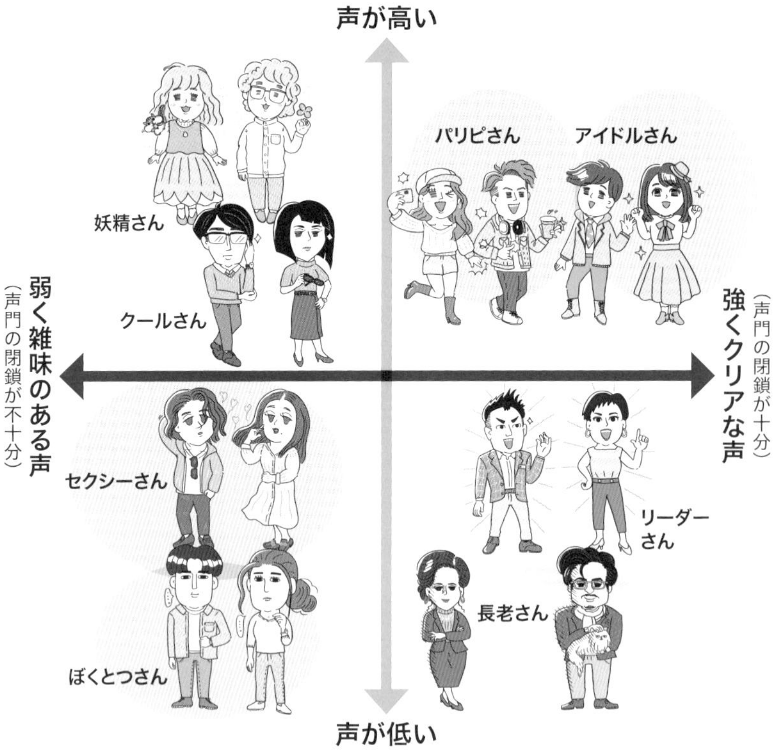

△パリピさん

いつも明るく元気！　人を引き付ける魅力があります。ノリノリすぎてうるさがられるのが玉にキズ。

▼アイドルさん

明るくさわやかで澄んだ声。パリピさんと似ていますが、やや落ち着きがあります。かわいい声のせいで幼く思われるのが弱点。

▲リーダーさん

芯のあるしっかりした声がパワフルで、頼りがいのある感じ。この声が裏目に出ると怖い印象に。

▽長老さん

ラスボス感のある渋い声。男性なら声だけでモテてしまうイケボ。女性ならあねご風。リーダーさんと同様、怖く思われるのが弱点。

妖精さん

ふわふわした癒し系の声。優しいウィスパーボイスが魅力。ただ、頼りないと思われて損をしてしまうことも。

クールさん

小さな声で早口で話す様子が理知的で頭の切れる参謀風に見える反面、冷たい印象を与えることも。

セクシーさん

雑味があり、ニュアンスを感じさせる声がセクシーなモテ声。ビジネスの場ではそのセクシーさがあだになることも。

ぼくとつさん

ぼそぼそして聞き取りにくい声でゆっくり話す。地味な存在と思われがちだが、洞察力があり秘めた力があるように見えるのが強み。

第1章

自分の声質を知らずに生きている人が損をしてしまう理由

私のトホホ体験をふまえ、自分の本当の声質を知ることの大切さ、そして出せない声を無理して出そうとするよりも、自分の声質を活かした声の出し方が、人生を拓く道筋となることをお話しします。

自分の声にダメ出しをし続けた 15年間

声に悩む人たちに向き合って

ここで、私の簡単な略歴を紹介させてください。

短大卒業後ラジオ局に入社し、アナウンサーとして勤務しました。約 3 年勤めた後フリーとなり、ラジオ番組のパーソナリティや TV レポーター、ナレーションなどの仕事に従事。その後京都に移住して 2006 年より「ボイスコネクション」を主宰。話し方レッスンとボイストレーニングを始めて今に至ります。

2011 年から 2013 年まで、音声外科の世界的権威である一色信彦医師の押しかけ弟子となり、一色医師が開設した京都ボイスセンターの一角を間借りしてボイストレーナーとして勤務。その後も 2020 年まで耳鼻咽喉科で勤務し、声に悩む多くの方々と向き合ってきました。

この章ではそんな私の経験を踏まえて、自分の本当の声質を知らずに、出せない声を無理に出そうとすることがどれほど損なこと、危険なことかをお話ししたいと思います。

アナウンサーなのに声が小さく滑舌が悪かった

新人アナウンサー時代、私は「チョロロキ」というあだなで呼ばれていました。なぜなら私はアナウンサーでありながら滑舌が悪く、自分の名前の「轟（とどろき）」すらうまく言えず、どうしても「チョロロキ」としか聞こえなかったからです。また、声量がなくて屋外では声が通らず、上司からは「もっと大きな声を出せ」とダメ出しされてばかり。

「チョロロキ」というあだなのおかげでみなさんから親しまれ、かわいがっていただいたことは感謝していますが、やっぱり悔しくて陰では泣いていました。どうして私はみんなのように、大きな

声できれいに話すことができないのだろうと。
　あとでわかりましたが、私の舌は舌小帯短縮症といって舌の裏側についているひだのようなもの（舌小帯）が短く、舌を大きく上げ下げしたりひっこめたりすることができなかったのです。そのため口腔内の共鳴を有効に使うことができず、声が響かない。無理に大きな声を出そうとすると力み発声になるのです。
　普通の生活には全く支障はありませんが、アナウンサーにとっては致命的な欠陥です。当時はインターネットもなく自分で調べることができなかった時代ですので、自分はもちろん、指導をしてくれる先生や先輩も、私の舌が人より短いことに誰も気がつきませんでした。私は、先生や先輩からの「もっと声を前に出して」「がんばればできるよ」という善意の励ましを受けてさらに必死に練習をしました。が、声が大きくならないばかりか力が入ってさらに滑舌が悪くなり、本番でとちりまくる始末。当然指導にあたっている先輩や上司からは怒られます。
　そのうち「またトチるかもしれない」「ダメ出しされるかも」という恐れから、生放送でマイクの前に立つときは常に緊張するようになりました。
　私は完全な悪循環に陥ってしまったのです。

▶理想の声になるために、自分いじめのようなトレーニングを続ける

　どうすればナレーターとしてもっといい声が出るのだろう。もっ

と声量を上げたい、頼りなさそうな自分の声をもっと太くしたいと悩み続けました。声を変えるために、呼吸法やヨガ、浪曲、モンゴルの伝統的な歌唱法のホーミーから空手まで、思いつく限りのレッスンにチャレンジしました。

それだけやっても自分の声が良くなったという実感は全くありませんでしたが、不思議とナレーションや司会の仕事をいただいて、声を出す仕事は途切れることなく続いていました。今思えば、仕事をいただけるということはそれなりに私の声を評価してくれる人もいたということかもしれませんが、なぜだか「自分はダメだ」と思い詰め、10年くらい自分を責めるようにトレーニングを続けていました。

▶青天の霹靂！　自分の声でよかったんだ！

ところが、ある時転機が訪れました。

それはあるドキュメンタリー番組のナレーションの仕事でした。難病の女の子の闘病生活から亡くなるまでを追ったドキュメンタリー。重いテーマなので、どう読もうか迷いましたが、収録で映像を見ていると、自分が病室の隅で女の子を見つめている気持ちに。あとはあまり考えず一気に読みました。すると、それがまさに監督さんのイメージどおりだったと大好評。

これまで、「空気みたいで存在感がない」「何の印象も残らない」とまで言われた私の声ですが、まさにその「空気みたい」なところが監督さんの欲しい声だったのです。「これまで随分いろいろなナレーターを探したけれど、これという人が見つからなかった。轟さんのような優しい声でナレーションができる人はなかなかいない」と、最大級のほめ言葉までいただきました。

私の声を認めてくれる人がいるんだ、このまま自分らしい声で勝負したらいいんだ、と目を開かされた瞬間でした。

同時に、同じようなことを前にも言われたことを思い出しました。ほめられていたのに、私はその言葉を信じなかった。私に一番ダメ出しをしていたのは私自身だったんだと思うと涙が止まりませんでした。あんなに自分いじめをせず、もっと自分の声を認めてあげればと強い後悔の念がわいてきたのです。

生まれもった声帯は変えられない

▶根拠のないダメ出しに従い続けてきた人たち

私は声優養成所の講師をしていたことがあります。また、アナウンススクールなどで生徒として習った経験もあります。

その中で、尊敬する素晴らしい先生たちとの出会いがありました。一方で講師の中には生徒ができないことを指摘するだけで、その先の指導がない方もいました。また、知識や根拠のないダメ出しにもかかわらず、生徒は文句も言わずに素直に従うという光景も目の当たりにしました。先生はもっと生徒の声や身体をちゃんと見てあげて、生徒の良いところを伸ばしてあげたら、とわきで見ていて突っ込みたくなることもあったのです。

▶出ない声を無理して出し続けると、声が出なくなる危険性も

身長が高い人は声帯が長く、声は低くなる傾向があり、身長が低い人は声帯が短く、声は高くなる傾向があります。

では、たとえば声帯が長い人が、身長が低い人のような高い声で歌いたいと思ってもできないのでしょうか？　そうとも言えません。声帯の緊張度を変えて声帯を引き伸ばせば高い声は出せます。今は出せなくても、時間をかけてボイストレーニングをすれば、出せる音域は広がっていくでしょう。ただ、今この場ですぐに高い声で歌えと言われたら難しいのではないでしょうか。言われた本人も、「今練習しているんだよ」と答えるでしょう。

歌がうまくなりたければボイストレーニングが必要だと思われている一方で、話すことに関しては、練習しなくても出したい声がすぐに出るはずだと多くの人は思っているのではないでしょうか。そう思われるのは、話すことがあまりに身近で当たり前のことだからです。だから自分の許容範囲を超えて大声を出したり長時間話していても、そのことになかなか気づけないのです。

「もっと張りのある声で」「もっと低く」「もっと高く」と、出しにくい声を無理に出し続けたり緊張して声を出したりすることが続く

と、話そうとする度にのどに力が入るようになり、声が出しにくくなってしまうことがあります。

私が師事した一色先生のもとには、過緊張性発声障害になって声がうまく出なくなった方がたくさん訪れていました。過緊張性発声障害とは、声帯に異常が見られないにもかかわらず、声がかれたり、出ししにくくなる病気の一つです。原因はいくつかあるようですが、悪い発声習慣や、声の使いすぎも原因と考えられています。

先生のもとに来る患者さんは、学校の先生、保育士、営業職など、声を酷使する職業の方たちが多くいました。その中には、仕事のために大声や長時間の発声を続けた結果、声がうまく出せなくなり、結局仕事も失ったという人も少なくありませんでした。

声で理不尽に追い詰められた人たち

▶発声障害になった大学生の悲劇

ある大学生は、体育会系の部活でコーチや先輩から「大声を出せ」と毎日のように言われていました。もともと彼は大きな声が出せなかったのですが「もっと根性を出せ」「やる気を見せろ」とダメ出しをされ続けたそうです。1カ月くらいがんばって声出ししていくうちに過緊張性発声障害になり、話そうとするとのどが締まってうまく声が出せなくなってしまいました。「この声では就活もあきらめなければならない」と、彼は号泣していました。

素直に指示に従って無理に声を張り上げたせいで、人生の選択肢を減らさざるを得なくなったのです。

▶ せっかくのハスキーボイスを否定され続けた女性

私の知人に少しハスキーな低音ボイスがとても素敵な女性がいました。私は「あんな声になれればいいな」と思っていたのですが、営業職の彼女は上司からいつも「もっと女性らしい声は出ないのか」「そんながらがら声で営業ができるか」と毎日のように叱責されていたそうです。彼女の会社は男性優位文化が色濃く、「女は女らしく」と何かにつけ言われるような職場でした。

今ならパワハラものですが、当時は高く澄んだ声の女性が明るく好感が持てるという風潮がありました。真面目な彼女は従順に上司に従い一生懸命声を高くしようと努力をしていましたが、高くしようとすればするほど声がかすれ、もっと叱られるという悪循環に陥っていました。結局その女性は、声だけが理由とは限りませんがその仕事を辞めました。せっかく素晴らしい声を持っていたのに、そのことに気づかず自信を失ってしまった彼女が不憫でなりませんでした。

▶指導者の責任は重い

職場や研修の場などで、「もっと大きな声で」と言われる場面は案外多いものです。指導する人は良かれと思って指導しているわけですが、ちょっと待ってくださいと言いたいのです。なぜなら、言われたほうは真摯に受け止めて素直に努力するからです。それがあだになってしまうのです。

声が出なくなる人ばかりではありませんが、ダメ出しをされ続けることで自信をなくし、声だけでなくすべてにおいて自信が持てなくなる人もいます。さらに「ダメ出しされる」と思うと、ここぞという場面で緊張し、委縮してしまうようになります。

指導者には、根拠や相手のキャパを考えてからダメ出ししてもらいたい。それだけ指導者の言葉は重いのです。

「良い声」の定義はない

▶普遍的に良い声の定義ってあるの？

世の中には、自分の声が嫌いと言う人が案外たくさんいます。

「かわいくて女らしい声になりたい」

「声が低くて、（女子高校生なのに）おっさんというあだ名をつけられた」

「仕事で大きな声を出さないといけないのに出せなくてダメ出しばかりされる」

「声が甲高くてうるさいと言われた」

「アニメ声なので、子ども扱いされるのが嫌」

「声に覇気がないと言われた」

「俳優の○○さんみたいな声にしたい」

「声を高くしたい」「低くしたい」

など、さまざまな悩みを持った人たちが私のもとへやってきます。

しかし、良い声って何なのでしょうか。普遍的に良い声ってあるのでしょうか。

▶文化、時代、価値観などによって良い声の定義は変わる

良い声の定義は、時と場所で変わります。

日本では、女性の高くて澄んだ明るい声は多くの人が好む声ですが、海外に行くとそういう声は成熟した女性の声としてあまり好まれません。国によって、文化によって価値観は異なるのです。

また、時代によっても好まれる声は変わります。昔は、女性は高く、澄んだ声が良しとされましたが、滝川クリステルさんのような知的な声が好まれたり、井川遥さんのような癒し系の声がはやったり。最近は多様性の時代で、個性的な声も認められるようになってきました。また、「男性らしく」「女性らしく」と声に性差を求められることも少なくなりました。これは良い傾向だと思います。

▶絶対的に良い声は存在しない

ハスキーボイスに憧れる人もいれば、それが嫌で仕方がないという人もいますし、チアガールのようにはきはきした声も、「元気で良い」という人もいれば「うるさい」と感じる人もいます。

結局、声の良し悪しを決めるのは主観でしかなく、ある人にとっては良い声でもある人には良くなかったりして、絶対的に「良い声」というものは存在しないのです。

一般的に、人は自分にはないものを求める傾向があるので、低い声の人は高い声に憧れ、高い声の人は低い声に憧れます。

でも、声はそれぞれの発声器官によって異なるので、自分と全く違う声質の声は簡単には出せません。まず、それを多くの人に知ってほしいです。特に指導的な立場の方には、「大きな声を出せ」「もっと低い声を出せ」など、できないことを要求するのはぜひやめてもらいたいところです。

▶ あなたの声が好きな人は必ずいる

そして忘れないでほしいのは、自分では「嫌だな」と思っているあなたの声を、「いい声だな、うらやましいな」と思っている人は必ずいるということ。「声に存在感がない」とダメ出しされ続けてきた私の声を「そんな声を探していた」と言ってくれる監督さんがいたのと同じように。

もう、無理に自分の声を変えようとするのはやめましょう。

それよりも、自分の声質を知って、その良い所（A 面）を伸ばし、イマイチな所（B 面）を好印象に転ずる方法を考えましょう。

第4章、第5章ではその具体的な方法を紹介します。

私が私の声に出会うまで【番外編】

第１章で、私のトホホな経験談から「自分の声で良かったんだ！」と思えるまでの日々についてお話ししましたが、恥かきついでにもう一つエピソードをお話しします。

ラジオ局を辞めてナレーターを目指した頃の話です。私は、長年の訓練で染みついたアナウンサーらしい原稿読みからなかなか脱却できず、このままでは自分はいつまでたってもキャスティングされないだろうと悩んでいました。なぜなら、アナウンサーみたいなナレーターが欲しければ、局にいる正社員のアナウンサーが読めばいいからです。そこで私は演技のワークショップにいくつか参加することにしました。

その時勉強になったのは、演じる人物になりきるために役者さんが演技のプランニングをし、役作りをする過程です。この過程があるかないかが、俳優出身のナレーターと自分との違いだと感じました。

優れた役者は、登場して数秒で、演じる役柄が身を置いている時代背景や境遇、職業や気分まで感じさせてくれるものです。その役柄がまとう空気感まで表現して、観る者を作品に引き込ませてくれます。

人の心を動かすためには声も話す内容も大事ですが、自分の世界観を持つことがもしかしたら一番大事なのかもしれない。私はそれを、役者さんたちの役作りから学びました。

今や情報が氾濫し、パッと見てつまらないと早送りされてしまう時代です。プレゼンテーションや配信でも、ただ原稿を読むだけでは誰も目をとめてくれません。あなたの価値観や信念、これまで培ってきた経験や人間性が、あなたの声と混然一体となってはじめて、誰もマネできないあなたの世界観が構築され、人の心を打つ話し手となるのです。

第2章

「声質に合った話し方」をするとこんなに生きやすくなる

この章では、自分の声の弱点を“変えよう”とするのではなく、欠点を逆手にとって強みにしたことで、成功した人たちの体験談を紹介します。

声を変えなくても話し方を変えるだけで物事は好転する

► 多様性の時代、人と同じでなくていい

私がラジオ局でアナウンサーをしていた1980年から1990年代のころは、「女子アナは眼鏡をかけてはいけない」「パンツスタイルはダメ」など暗黙の制約が非常に多く、「女性らしく明るくはきはきとした声」であることが求められました。そしてその枠からはずれた人は、非常に生きにくさを感じていたのです。

しかし今や多様化の時代。自らのSOGI（Sexual Orientation and Gender Identity＝性的指向と性自認）を公表して活動するコメンテーター、プラスサイズやアルビノ（色素が生まれつき不足しているため髪の毛や皮膚、目などの色が薄い）のモデルなど、独自の個性を唯一無二の魅力に変えている人が注目されています。声も同じで、多様性が認められるようになっています。たとえば、俳優の伊藤沙莉さんのような、若い女性のハスキーボイスも魅力的な個性として受け止められています。「女性らしく明るくはきはきとした声」にはあてはまらなくても、それが決してマイナスではなく、むしろプラスの魅力になっているのです。

自分の持って生まれた声を、人に合わせて変えるのはもうやめましょう。あなたの声を、自分の個性として前面に押し出せば、

それが唯一無二の魅力になります。

► 良い声はコーディネート次第

たとえば、小柄な人はすらっと背が高く見えるような服を、ぽっちゃり体型の人はすっきりスマートに見える服を選ぶことができます。ヘアスタイルだって、面長な人、丸顔の人など、顔の形によって似合うように考えるのではないでしょうか。声についても同じように発想すればいいのです。

世の中に、「○○をすればみるみる声が良くなる」という本はたくさんありますが、「今の声を変えず、話し方をコーディネートすることで声の欠点をカバーしよう」という本はあまりありません。

「私の声の低さが魅力的に聞こえるような話し方はないかしら」「私の声は通りにくいから、話し方で工夫してみよう」と、素材である自分の声は、個性としてそのまま活かすという考え方がもっと広まってほしいと以前から思っていました。

体型や顔かたちはすぐには変えられません。だから、洋服やヘアスタイルのほうを自分に似合うように工夫する。声だって同じ。

声が甲高いのが悩みなら、接続詞や助詞だけでも声のトーンを下げてみると、“ 甲高い ”という印象をやわらげることができます。声が小さくてよく聞こえないと言われるのが悩みなら、「母音をはっきり出す、ゆっくり話す」、「みんなが一瞬黙った時に、核心を突いたひと言を言う」ようにすれば、聞き取ってもらえるだけでなく、一目置かれるような落ち着きまで表現することができるのです。

どんな声にもA面（強み）とB面（弱み）があります。A面は活かして、B面は欠点が目立たないよう話し方をコーディネートすればいいのです。

声を無理に変える必要はありません。コーディネートを変えれば、あなたの声は魅力的になるのです。

►ぼそぼそした声の人は、心に刺さる決め台詞で勝負する

声が低くて口が重い。ぼそぼそとしかしゃべれないことが悩みなら、「ぼそっと言われるとぐっとくる!　刺さる!」というセリフを言えばいい。たとえば数人でわいわい議論をしている時、ぼそぼそ声の人の意見はなかなかみんなに伝わりません。そんな人は、一瞬みんなの会話が途切れた時に、ぼそっと核心を突いたことを言うと、「鋭い!」「さすが!」と周囲の見る目が変わります。ぼそぼそ声にはそういう強みがあるのです。それを自覚して、ここぞという時にひと言言おう、と思うだけでも、気持ちが前向きになります。ぼそぼそ声の人は、声だけでなくパーソナリティも内気な方が多い傾向がありますが、気持ちが前向きになると、行動もポジティブに変わっていきます。

►元気過ぎる声の人は、寄り添い励まし系でポイントアップ

声が大きくてうるさがられるのが悩みの人は、相手に寄り添い

励ます言葉を意識的に使うのが効果的。声が大きい人が、「○○してください」などの指示系や、「○○しちゃだめじゃない」などの禁止系の言葉を言うと怖い印象が強くなってしまいます。でも、落ち込んでいる時や、ものごとがうまくいかない時に、「大丈夫!」「ちゃんと見てるよ!」「落ち込んでないで次行こう、次!」と、大きな声でずばっと言ってくれると、非常に強い励ましになります。

要は、あなたの声質に合った場面を知って、その場で最も効果的な話し方をすればいいのです。

自分ダメ出しは百害あって一利なし

▶チャンスは自信のある人に集まってくる

私は、スピーチコンサルタントとして多くの人を指導してきました。私のところに来る人の多くは、「自分の声が嫌い」「こんな声じゃなくて○○さんのような声になりたい」など、自分の声に自信がない人たちです。“自分ダメ出し”が癖になっていて、声だけでなく、すべてにおいて反省思考。「自分に自信が持てない」という傾向があります。私もかつてはそうでした。

でも、自分の経験からも断言します。

“自分ダメ出し”は百害あって一利なし。あなたにとっても周囲にとっても何一ついいことはありません。

実は「自分に自信がない」という人は、一見して自意識が弱いようで、実は自意識がとても強い状態にあります。「これでいいのかな」「相手は私をどう評価しているのだろう」「私ってだめなんじゃないかな」という、負のループに陥って絡まってしまった思いはすべて、自分に向けた関心です。この自意識過剰を手放しましょう。あなたが人と話している時にこのように自分のことばかり意識していると、相手にも、「こちらの話には関心がないんだな」と気づかれてしまいます。これでは良い印象を持たれるはずがありません。良い印象を持ってもらいたくて自意識過剰になっているのだとしたら、まったく逆効果なのです。

もしあなたが、面接に受かりたい、人に好印象を持たれたい、もっとやりがいのある仕事をゲットしたいなど、なんらかの結果を求めているのだとしたら、今すぐ自分ダメ出しをやめましょう。

あなたが人を雇う側だとしたら、自意識過剰で気が散っている人より、迷いがなく今に集中できる人を雇いますよね。人もチャンスもお金も自信のありそうな人に集まってきます。あなたが自分に自信を持てないということは、あなたが欲しいものからどんどん遠ざかっているということ。結果を出すためにはまず自意識過剰をやめ、自分はこのままでいいとどっしり構えることが第一歩です。

自分の声を活かして成功した人たち

►ぼそぼそ声で目立たなかった人が、一目置かれる存在に

就活中の大学院生のＳさんは、なかなか内定をもらうことができませんでした。彼の声は低くぼそぼそしていて、話すスピードもゆっくりです。彼に聞いた話から想像すると、集団面接では饒舌な人たちが目立って、彼の存在感は薄かったのではないかと思いました。

しかし彼は普段はもの静かですが、全体を把握して物事を分析する力があり、「大事な時に核心を突いたことを言う」という印象がありました。そこで私はこうアドバイスをしました。「饒舌でなくていいけれど、何か言う時は意表を突くようなひと言をずばっと言えますか?」と。彼は、「できます」と言いました。論理的思考が得意な方でしたから、きっと自信があったのだと思います。

そしてもう一つお伝えしたのは、「あいづちを打ちなさい」ということ。Ｓさんに、人の話を聞くときどうしているかと尋ねると、予想どおり「黙っている」という答え。これからは、相手が何か言ったら黙って聞いているのではなく、うなずきながら「なるほど」「それは面白い意見ですね」とリアクションしなさいと助言しました。

頻繁にあいづちを打っていると、口数が少なくてもちゃんと会

話に参加しているように見え、存在感もアップするからです。相手も「自分の言うことが肯定されている」と感じ、悪い気持ちはしないはずです。また、彼は大学院生ですから学部卒の学生より年齢が高く、企業によっては「扱いづらい」と思われがち。あいづちは、協調性がある印象を与えるためにも効果的なのです。

彼のぼそぼそした話し方については、「母音をはっきり言う」ための練習（96ページ参照）を繰り返しました。最初は「こんなことをして効果があるのか」と懐疑的だった彼も、声を録音してビフォーアフターを比較し、あきらかに聞き取りやすい話し方になっていることがわかると、納得して練習にも身が入るようになりました。

さて、万全の準備をして臨んだ就職面接。彼は、「ぼそっとキメのひと言」「あいづち」「母音をはっきり」の3点をしっかり守り、ついに内定を得たのです。

►「覇気がない」と言われた男性が早口でしゃべると…

転職先を探していたT（男性）さんは、営業職でしたが声が小さく、「覇気がない」とよく言われていたそうです。転職エージェントからも「やる気があるのかわからない」と言われたのだとか。

私は彼の声の小ささよりもむしろ、話すスピードがゆっくりなことが気になりました。レッスンを行ううち、彼はいい加減なことを言いたくなくて一言一言よく考えて吟味してから言葉を発するために、話し方がゆっくりになってしまうことがわかってきました。

そこで私は「声は小さくてもいいから早口でしゃべってください」

と指導しました。早口のほうが頭の回転が速い印象を与え、理知的に見えるからです。実際にTさんに早口でしゃべってもらうと、“覇気がない”という欠点が、“クールで知的”というプラスの印象に。これはうまくいきそうです。

問題は話す内容でした。彼は適当なことは言いたくないからよく考えてから話したい。でも、早口で言うと考える時間がない。そこで、私は彼に「ネタ帳」を作ってもらいました。面接のときに聞かれるであろう想定問答を100問考え、あらかじめ、何をしゃべるかを全部ネタ帳に書いておくのです。これで、早口でもしっかり考えた内容を話すことが可能になりました。想定問答を作る作業には1カ月近くかかりましたが、早口ができるようになっただけではなく、自分の棚卸しができ、迷いがなくなったと言ってくれました。

もう一つアドバイスをしたのは、緩急をつけること。ずっと早口でしゃべるのではなく、ここぞという大事なことを言う時は、たっぷり間を取り「タメて」話すこと。これで相手の注目を引くのです。

Tさんも、「早口」「ネタ帳」「重要ポイントで間をとる」の3点をしっかり頭に叩きこんで面接に臨み、見事転職を果たしました。

▶幼く見られる「アニメ声」を逆手にとって強みアピール

Kさんは、小柄で丸顔、大きな目がかわいらしい女性です。彼女の悩みは、鼻にかかったいわゆる「アニメ声」でした。かわいらしい見た目とその声のせいで、子どもっぽく見られたり、真面目な話をしてもふざけていると思われたり、同性からは「あざとい」「かわいこぶってる」と言われる始末。就活の面接でも、「真面目な学生とは思ってもらえず損をしている気がする」といいます。

アニメ声になる原因は、鼻腔共鳴が強すぎる、鼻炎であるなどの様々な理由があり、矯正するのが難しい場合もあります。そこで私はKさんに「先手必勝で行きましょう」とアドバイスをしました。

最初に「私の悩みは、この“アニメ声”です」とカミングアウトしてしまうのです。相手に“アニメ声“＝“ふざけている”という先入観を持たれる前に先手を打つのがポイントです。そして「一方、私の長所は“工夫すること”です。このアニメ声を長所にするために、こんな工夫をしてきました」というストーリーへつなげていくのです。本人も「この声で損をしているな」と思いながら面接をするよりも、気持ちが軽くなり、結果的に自信をもって面接に臨めるはずです。この作戦はうまくいき、Kさんは希望の企業から内定をもらうことができました。

声のせいで自分に自信が持てない、損をしていると悩んでいるあなた、まず、自分ダメ出しをやめましょう。そして今の声をどうやってプラスに転じるか、作戦を考えるのです。自分の声を全く違う声に変えようともがくよりも、そのほうが簡単です。それだけでなく今ある声でも大丈夫！　と自信を持てるようになれば、声だけでなくすべてが好転していくはずです。そのためにも、次の章の声診断で、自分の今の声について認識してみるところから始めてみてください。

第3章

あなたの声を診断してみましょう

この章では、声を「声の高さ」と「声の通りやすさ」「話すスピード」で8タイプに分類し、あなたがどのタイプにあてはまるかを診断します。タイプごとの強み・弱みを知り、強みの活かし方、弱みの克服法を理解しましょう。

声を診断してみましょう

＊声診断の目的

私はこれまで40年間、声のプロとして仕事し、20年間で約1万5千人の受講生にボイストレーニングやスピーチコンサルティングをしてきました。

初回のレッスンでは受講生のお悩みを聞きながら、頭の中でその人の話し方、声の特徴を分析し、この人のお悩みを解決するためにはどんな声トレや話し方を提案すればいいかを見立てて、最適な練習法・カリキュラムを提供するようにしています。声のお悩み解決は、まさにオーダーメード。一人ひとり異なります。そこにやりがいがあると感じています。

本来は、読者の皆さんにも同じようにお悩みをお聞きして、個別の練習法を提供できればいいのですが、本の上では無理ですので、私がいつも頭の中でやっている分析方法をぐっと簡略化した声タイプ診断法を考案しました。

専門家の手助けなしで自分で話し声の悩みを解決したいと思った場合、一般的に良いと言われている練習法をかたっぱしから試そうとするかもしれません。しかしそれは得策ではありません。自分に合った練習法を見つけるまでに時間がかかりますし、自分に合っていない＝間違った練習法を続けても、効果がないどころか悪い発声習慣ができてしまうこともあるのです。

声の課題を短期間で効率的に改善するためには、まず自分の声のタイプを知ることが第一歩です。声タイプがわかると、最適な方法に素早くアプローチすることができます。そのために声診断をするのです。

診断は4種類あります。自分がだいたいどのタイプか、簡単に知りたい方は診断方法1、2をやってみてください。もう少し詳しく調べたい方は、診断方法3、4にもチャレンジしてみてください。
さあ、ゲーム感覚で、楽しく診断をしてみましょう。

診断1 ★ あてはまるものを選びましょう

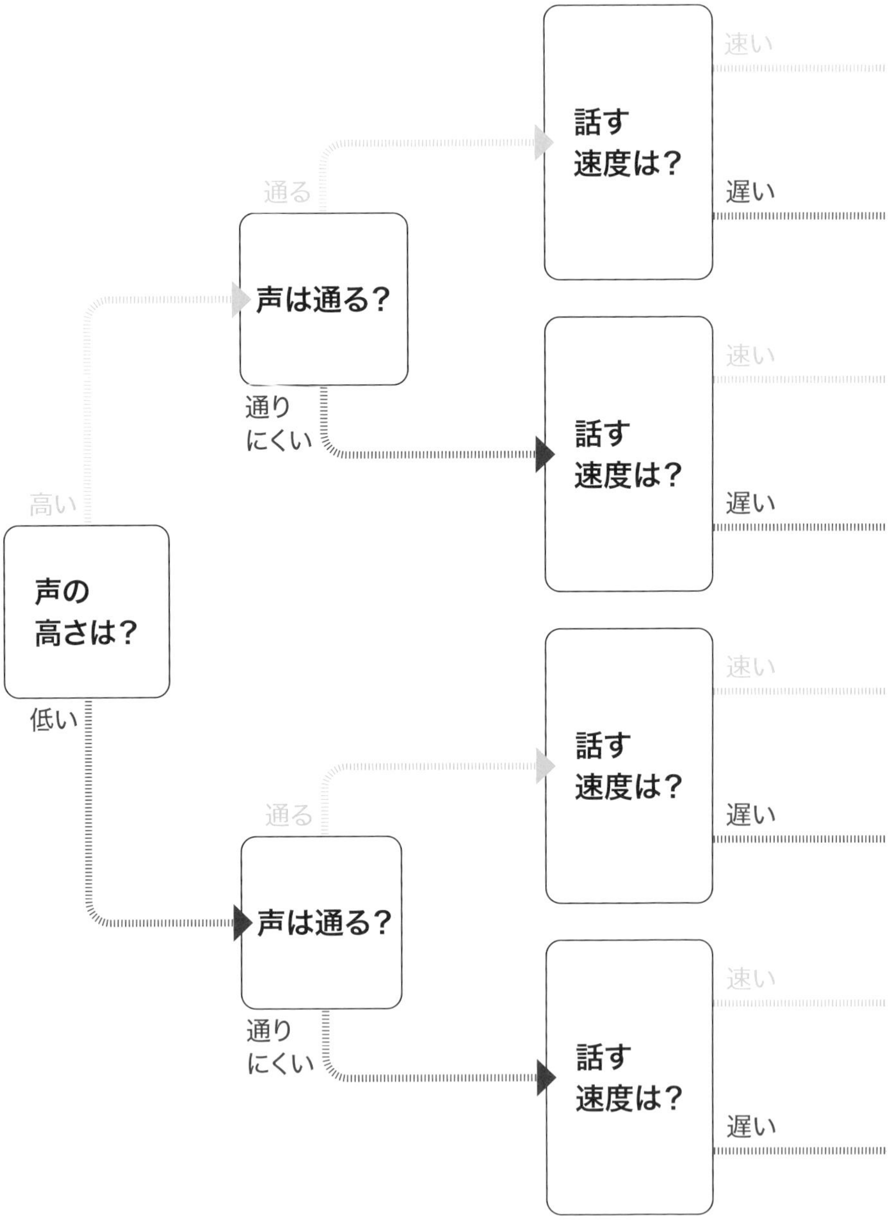

パリピさん

いつも明るく元気！　人を引き付ける魅力があります。ノリノリすぎてうるさがられるのが玉にキズ。

アイドルさん

明るくさわやかで澄んだ声。パリピさんと似ていますが、やや落ち着きがあります。かわいい声のせいで幼く思われるのが弱点。

クールさん

小さな声で早口で話す様子が理知的で頭の切れる参謀風に見える反面、冷たい印象を与えることも。

妖精さん

ふわふわした癒し系の声。優しいウィスパーボイスが魅力。ただ、頼りなく思われて損をしてしまうことも。

リーダーさん

芯のあるしっかりした声がパワフルで、頼りがいのある感じ。この声が裏目に出ると怖い印象に。

長老さん

ラスボス感のある渋い声。男性なら声だけでモテてしまうイケボ。女性ならあねご風。リーダーさん同様、怖く思われるのが弱点。

セクシーさん

雑味があり、ニュアンスを感じさせる声がセクシーなモテ声。ビジネスの場ではそのセクシーさがあだになることも。

ぼくとつさん

ぼそぼそ聞き取りにくい声でゆっくり話す。地味な存在と思われがちだが洞察力があり秘めた力があるように見えるのが強み。

診断2＊質問に答えましょう

次の質問を読んで、あてはまる記号を選んでください。

Q1　あなたの声は、

A　どちらかというと高い方　　B　どちらかというと低い方

G　どちらでもない

Q2　人から言われたことがあるのは?

A「もっと低い声で話しなさい」

B「もっと高い声で話しなさい」　　G　どちらでもない

Q3　がやがやしている場所であなたの声は、

C　よく通る　　D　通らない　　G　どちらでもない

Q4　大きい声を出そうとすると

C　自分でもびっくりするぐらい大きな声が出る

D　がんばって出しても大声は出ない　　G　どちらでもない

Q5　人から言われるのは?

C「声がうるさい。静かにして」

D「もっとしっかり声出していこう」　　G　どちらでもない

Q 6　どちらかというと得意なのはどっち？

C　スポーツ観戦で、大声で応援する

D　静かなバーでささやくように話す　　G　どちらでもない

Q 7　声を強く出すと、

C　のどが痛くなることはない　　D　のどが痛くなることがある

G　どちらでもない

Q 8　声を長く出そうとすると、

C　息が長く続く　　D　すぐ息が続かなくなる

G　どちらでもない

Q 9　人から言われたことがあるのは？

E「もっとゆっくり話して」　　F「もっとテンポよく話して」

G　どちらでもない

Q 10　テンポの速い会話に、

E　ついていける　　F　ついていけない　　G　どちらでもない

Q 11　次の文章を何秒で読める？（時計などで測ってください）

> 昨日はとても天気が良かったので、車はやめて自転車で行ってきました。いい写真がたくさん撮れて満足です。

E　7秒以下　　F　10秒以上　　G　8秒～ 10 秒

＊診断2の結果

- A と B で多いのはどちらですか？………… A □　B □
- C と D で多いのはどちらですか？………… C □　D □
- E と F で多いのはどちらですか？………… E □　F □

上記で選んだアルファベットの組み合わせが、あなたのタイプです。

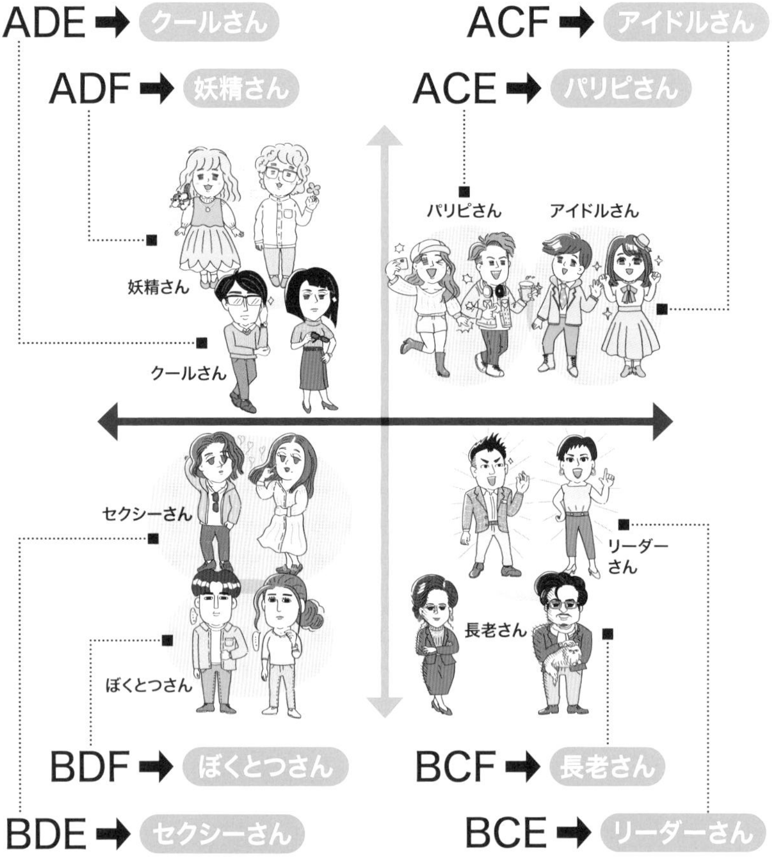

診断3★アプリで声の高さを測ってみましょう

無料のチューナーアプリを使って声の高さを測りましょう。

チューナーアプリは楽器を調律するものですが、調律する楽器を選ぶ時に「voice（声）」を選択すれば自分の声の高さが測れます。たとえばKeyTunerというアプリの場合、アプリを起動して、自分が一番楽に出しやすい高さで「あー」と声を出してみると、声の高さがA_3、B_3、C_4といった記号で表されます（図①参照）。この記号を図②と照らし合わせます。

図②は人の声域を示したもので、話声位とは話すときの平均的な高さのことです。女性の話声位はG_3から$C_4^{\#}$（約196～261Hz）程度、男性は$G_2^{\#}$から$D_3^{\#}$（約98～146Hz）程度です。本書では、それより低ければ低い声、高ければ高い声とします。

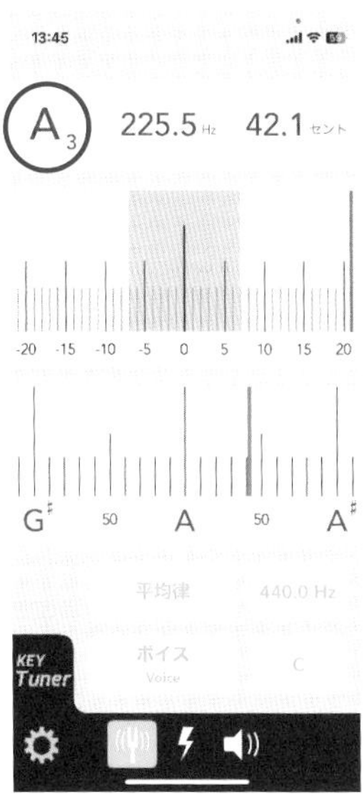

図①

図①ではA_3と表示されていますから、女性の平均的な声ということになります。

次に、普段の会話と同じ感じで「おはようございます」と発声して、話し始めの声の高さがどのくらいかを調べてみてください。出しやすい高さと、普段話している時の声の高さが全然違う！　という方がいらっしゃるかもしれません。「よそゆきの声」という言葉がありますが、私たちはTPOに応じて、自分の話し声を選んでいるのです。

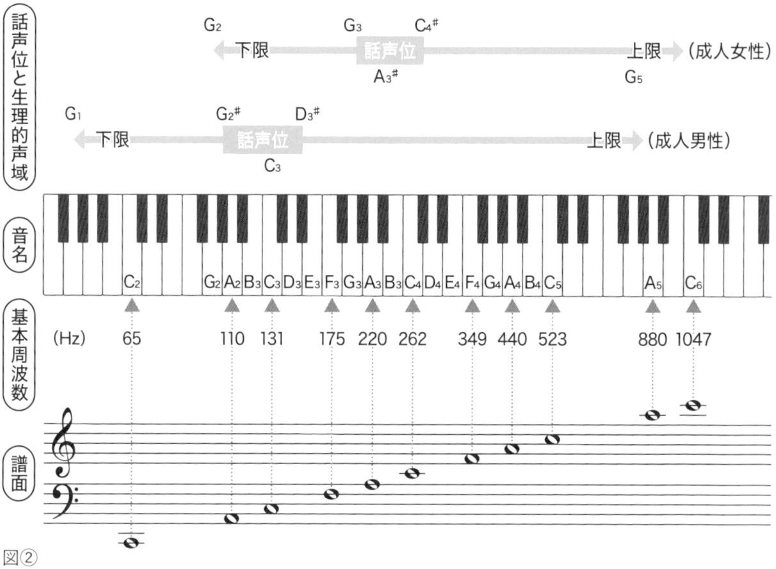

図②

久しぶりに私も測ってみたところ、普通の話し声は高めに出す時で B_3 から $D_4^{\#}$、低めの時は G_3 から C_4 でした。ナレーションを読む時はもっと低く、A_2 から A_3 という結果になりました。20 代、30 代の頃までは低い声を出したくても出せなかったのに、いつのまにこんなに低くなっていたのかと我ながら驚きました。おそらく加齢によって女性ホルモンが減少して声帯が太くなったり、筋力が以前よりおとろえていることなどが、声が低くなった原因でしょう。このように年齢を重ねると声が変わってくることはよくあります。時々自分の声の高さを調べてアップデートするといいかもしれません。

診断4★話す速度を測ってみましょう

話す速度を変えることでも、自分の声の弱点をカバーすることができます（その方法は第４章、第５章で詳しく説明します）。まず、自分の話し方が速いのかゆっくりなのか、客観的に評価してみましょう。

次の文章を「人前でプレゼンテーションする」設定で読み、スマホのストップウォッチや時計などで時間を測ります。

私の強みは、常に自分なりの課題を考え、努力と工夫ができるところです。学生時代は、茶道部の経験を活かして、老舗の日本茶メーカーのカフェでアルバイトをしていました。国内だけでなく海外からもお客様がいらっしゃるため、国際マナーについても厳しく指導していただきました。海外からのお客様は、いろいろな質問をされます。そこで、お茶や茶道について英語で答えられるよう、アルバイト仲間で自主的に勉強しました。その結果できあがった英語のマニュアルは、のちに全店で使うようになり、社長からもおほめの言葉をいただきました。この経験を通して私は、どんな立場であっても、自分の仕事を理解し、工夫することで貢献していけることを学びました。

（　　　　）秒

★診断4の結果

- **54 秒以下**　話すスピードが速い ………………… E
- **60 秒以上**　話すスピードが遅い ………………… F
- **55 ～ 59 秒**　どちらでもない・普通 …………… G

「300 字をおよそ 1 分で話すことが聞きやすいスピードだ」と言われています。しかし、実際に自分で話してみると、1 分ではゆっくりだと感じる人も多いようです。

私の場合、この文章をナレーションとして読んだ場合は 1 分、動画で話す設定で読んだ場合は 54 秒、1対1の対面での会話のつもりで読んだ場合は 50 秒になりました。

みなさんも状況によって無意識に話すスピードを変えているのではないでしょうか。意識的に話す速さを変えることで、相手に与える印象も変わります。状況に合わせて効果的に話すスピードを変えていきましょう。

診断3と4で声の高さと速さを客観的に測ったことで、診断1の結果が変わってくるかもしれません。気になる人は再度、診断1にもどり、声タイプを診断してみましょう。

＊総評

あなたの診断結果は、どうでしたか？　8つの声タイプの中に、これは自分のタイプだと思うものがありましたか？　どのタイプにもあてはまらないと感じた人もいると思います。実は、マトリックスのまん中あたり（声は高くも低くもなく、声の通りも普通）に位置していてどのタイプにも分類しづらい、境界型の人はたくさんいます。複数のタイプにあてはまると思う人もいるかもしれません。

声や話し方をTPOに応じて変えて話せる人は、自分のタイプがよくわからないこともあるでしょう。そんな方は、話し方を改善したい場面での声や話し方で診断してみてください。

本書では、声のタイプ別にB面の改善方法を紹介していますが、どのタイプかわからないという場合はタイプ別にこだわらず、自分の声の弱点の解決法としてあてはまる箇所を拾い読みしてみてください。

さて、次ページからは、各タイプの特徴を紹介します！

パリピさん タイプ

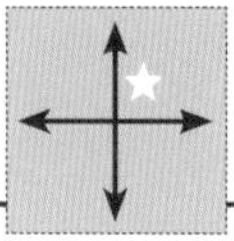

A面 **はきはきして声が通りやすい・華やか・にぎやか**

B面 甲高い・うるさい・デリカシーがない・ふざけているように聞こえる

話し方が魅力的なこのタイプの有名人

【男性】兼近大樹さん（EXIT）　林修さん

【女性】濱田マリさん　アンミカさん

特徴

声の高さが中音域〜高音域。パーンと張りのある、クリアな声が特徴です。

キャラクター的にも、いつも元気、はきはきと大きな声でテンションが高く、「落ち込むことなんてないんじゃない？」とよく言われるのがこのタイプです。

このタイプの人は高い声しか出ないのかと思いきや、音域を調べると意外に低い声も出ることが多いです。ただ、低い声を会話で出さないので、本人も低い声は出ないと思い込んでいる可能性があります。また中音域の声が出にくいために、高い声か、低い声のどちらかしか出せない人もいます。

A面

明るくて人気者。声に求心力があり、人が集まる、声が通りやすくリーダーに向いているなどがパリピさんの強みです。

B面

みんなが深刻な話をしている時も声を落とすことができないので、「ふざけているのか？」「空気が読めないやつ」と思われてしまいがち。好きな人と二人っきりのロマンチックな場面でも、調子っぱずれな大声のせいで“ 面白い人 ”になってしまい、恋愛に発展しづらいという悩みも…。

また、暗黙のうちに「盛り上げる人」というキャラ付けをされてしまい、シリアスな話の場には呼んでもらえなかったり、悩みは相談されなかったりと、疎外感を感じてしまうこともあります。

B面の改善法

■音域を調べて（53ページ参照）低音が出せる場合は、うなずきやあいづちを低音にしてみると印象が変わります。

■中音域が出る人は、助詞と語尾だけでも意識して声を低くしましょう。いつもと同じ高さで話しても声が低くなったように聞こえ、落ち着いた印象を出せます。

■話すスピードを遅くすると、落ち着いた印象になります。

アイドルさんタイプ

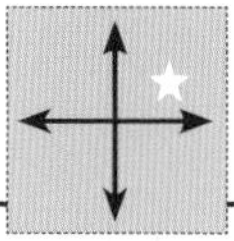

A面 **明るい・爽やか・清楚・素直・純粋**

B面 子どもっぽい・理想主義・世間知らず

話し方が魅力的なこのタイプの有名人

【男性】 さかなクン　神木隆之介さん

【女性】 福原遥さん　やす子さん

特徴

声の高さが中音域〜高め。透明感のある通る声。パリピさんと似ていますが、パリピさんがいつもテンション高めなのに対し、アイドルさんは落ち着いてゆっくり話すのが特徴。パリピさん同様、このタイプの人も音域を調べると意外に低い声も出ることがあります。本人も低い声は出ないと思い込んでいて低い声で話す習慣がない人もいます。

A面

笑い声が華やかな人気者。そんなアイドルさんに「みんなでがんばろうね！」と笑顔で言われると、ついがんばってしまう。「ありがとう！」とまた言ってもらいたくて、もっともっとやってあげたくなる、というのがアイドルさんタイプの声がもつ、人を動かす力です。

疲れていても声質がクリア。年を重ねても声が若々しいため、いつまでもかわいらしく、苦労が声に出ない人です。

B面

周りをチアアップできる華やかさがある反面、幼く、経験値が少ない印象を持たれがちです。また、「アイドルさん」という名の通り、ほおっておけない魅力があるため、人から助けてもらえることも多く、「自分でもできるのに」「もっと頼りにされたいのに」と不満に思うことも。

B面の改善法

■文末を低音にするとしっかりした印象になります。また文末は間延びさせず、きっぱり言い切るようにすることで、意志を感じさせます。

■ダラダラと長く話すと幼い印象になりますので一文を短くしましょう。

■母音が甘いと子どもっぽさが増します。母音はしっかり長く出しましょう。

リーダーさんタイプ

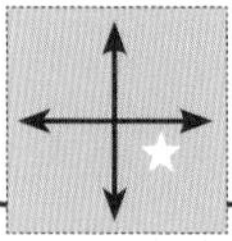

A面 **リーダー・パワフル・勇ましい・信念・頼もしい・決断力・ぶれない・熱い**

B面 怖い・高圧的・頑固そう・親しみにくい

話し方が魅力的なこのタイプの有名人

【男性】 福山雅治さん　大沢たかおさん
【女性】 天海祐希さん　いとうあさこさん

特徴

声の高さは低め〜中音域。芯のある太い声でしっかり話す印象です。このタイプには、通りすぎる声を目立たせたくなくて、音量を抑えようとしている人もいます。また、地声は得意ですが裏声を出すのが苦手な人も。意識的にパワーのある声を出している人は力み発声をしがちで、声の高低や強弱のコントロールがしづらく、一定の音量・声の高さで話す傾向があります。

A面

堂々とした大きな声から、大勢のチームを束ねたり難事を解決できそうな頼りがいのあるリーダーという印象を持たれます。説得力があり、スピーチで人の心をつかむのも得意です。大舞台では押し出しがきく人と頼りにされます。

B面

この声で指示や注意をされると叱責されているように感じたり、質問されると詰問だと感じたり、必要以上に圧が強いのが弱点。自分はそんなつもりはないのに「上から目線」「えらそう」「パワハラ」と言われて内心悩んでいる人もいます。

内心は「無理、できない」と思っていても傍目にはわかりづらく、助けが必要な人だと思われないことが多いのも悩み。好きな人に対しては、本当は守ってもらいたい・甘えたいのに伝わらないのが悲しい…。

「私だって落ち込むことはあるんですよ」と弱みをさらけ出したり、低い声であえて面白ネタを言って笑わせるなど、相手の意表をつくことで「強い、怖い」レッテルをはがしていくといいかもしれません。

B面の改善法

■語尾を「〜です」「〜ます」と断定せず、「〜ではないでしょうか」と疑問形にすると怖さがやわらぎます。

■「ありがとう」「助かったよ」「頼りにしている」などのお礼や承認の言葉、「この調子！」「期待以上だね！」などのほめ言葉をいつもの会話にちょい足ししましょう。

長老さんタイプ

A面 **動じない・清濁併せ呑む・洞察力・大物・人格者**

B面 怖い・世慣れした・秘密めいた・凄みがある

話し方が魅力的なこのタイプの有名人

【男性】川島明さん（麒麟）　成田悠輔さん

【女性】岩下志麻さん　松下奈緒さん

特徴

声の高さは、低め〜超低音。芯のある太い声で、ゆっくり話すのが特徴です。ゆるぎなく何事にも動じない人、ラスボス感があります。

長老さんタイプの声の人が穏やかさから一転して情熱的にスピーチをすると、政治家、革命家のような風情になります。

笑い声は、「舞台俳優ですかっ！？」というぐらい響く。そのため大声で笑うことを避ける人もいます。しかし控えめ目に「ふふふ」と笑うと、今度は凄みが出てしまうので、本人は悩ましいと感じていることもあります。

A面

貫禄のある声での受け答えは説得力があり、若くて経験が浅くてもベテランだと思われて、得をすることも多いです。また、意見の対立でモメそうな時や、誰かの感情の爆発があった時でも、穏やかに仲裁に入って場を収めてしまえるようなパワーがあります。

B面

言葉が少ないほどに凄みが増し、一目置かれる人を通り越して「脅威」とみなされて警戒されてしまうこともあります。若い女性の長老さんは、かわいい声が良かったと密かに悩んでいる人もいます。また、どっしりした声の印象で、人の面倒を見ることを期待されがちです。リーダーさん同様、自分が助けがほしい、世話をしてほしいと思っても、なかなか気づかれずに辛いと感じることも。

B面の改善法

- しぶい声でおかしなことを言い、ギャップ萌えをねらいましょう。長老さんの重厚な声が、声帯の質量の重さによるものである場合、自分では変えられません。そこで、ユーモアのセンスをプラスして怖い印象を薄める作戦です。
- 裏声が出る人は、時々裏声を使って笑いを取りましょう。イケボの人が「ヤダー」「キャー」と裏声でリアクションするとギャップ受けすること間違いなし。

妖精さんタイプ

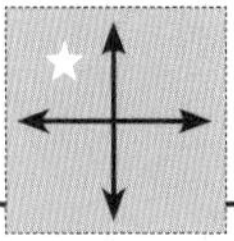

A面 **癒される・穏やか・ピュア・上品・自然・スピリチュアル・高貴な**

B面 おとなしい・頼りない・印象が薄い・あなどられる

話し方が魅力的なこのタイプの有名人

【男性】 中村倫也さん　千葉雄大さん

【女性】 永野芽郁さん　奈緒さん

特徴

声の高さは中音域～高め。息まじりのソフトな声が特徴。

「あなたと話しているとほっとする」と言われるのがこのタイプ。出そうと思えば大声が出る人もいます。幼い頃から「大声を出すな」としつけられたり、女性の場合は「女らしく」と言われてきて自然と小さな声になった人もいます。全タイプに言えることですが、声は、育った環境やその時代の価値観、美意識などの影響によって作られることも多いです。

A面

ふわふわしたウィスパーボイスが魅力。息まじりの声が、受容的な優しさ、繊細さを感じさせるため、この人なら何を言っても受け入れてくれると頼りにされる傾向があります。

B面

癒し系の声のせいで「優しくサポートしてくれそう」と過度な期待をされて、重荷になることも。また、リーダーシップを取りたい時もサポート役を暗に期待されがち。人が多い場所でも声を張り上げることができないので、「押し出しがきかない」と思われたり、声高に自己アピールをしないため消極的だと思われることも。強く「No」と言えないために、「何を言っても許される」と勘違いされやすく、ストレスが溜まったり、思い切って「No」と言うと反感を買うなど、理不尽な目にあうことも少なくありません。

B面の改善法

■きっぱり「Ｎｏ」と言えるように練習しましょう（声が優しいのできつくはならない）。

■いつも優しく「はい」「ふ～ん」と話を聞いている人は、時々きつめの「はい、そうですか」「ええ」を取り交ぜ、受容的だが従順なわけではないことを小出しにします。

■「天の声」のように、事実を淡々と正確に告げる・指示を言い渡す。その上で、「どうしますか？」とダイレクトに問います。

クールさんタイプ

A面 **理知的・冷静・合理的**

B面 淡白な・ドライ・共感が伝わりにくい

話し方が魅力的なこのタイプの有名人

【男性】 カズレーザーさん（メイプル超合金）　古市憲寿さん

【女性】 江口のりこさん　道重さゆみさん

特徴

声の高さは高～中音域。細い声で早口。感情的にならず淡々と話すのが特徴。考えるスピードに舌の動きが追いつかず、頭が冴えている時ほど早口になり、聞き取りにくくなります。また出し慣れていないため、たまに大声を出すと声が裏返ってしまう人も。

A面

いつも冷静で、早口で話す傾向にあるクールさんは理知的で頭の切れる戦略家や参謀のイメージがあります。論理的でスピード感あふれるトークが展開できたら最強。プレゼンテーションや動画では、もっともっと聞きたいと思わせるような魅力的なスピーカーとなります。いつも反応が薄いと思われている人ほどびっくりされるでしょう。

B面

クールさんタイプの残念なところは、自分の気持ちをマックスで表現しても淡々と聞こえてしまうところ。心に熱い思いや相手に対して愛情を感じているのに伝わりにくいのです。

早口で話せるということは情報量が多いからともいえますが、相手のペースに合わせていないという点で、協調性や共感力に欠けると思われてしまうことも。

B面の改善法

■相手のペースに合わせて話すスピードを変えると協調性がある印象に。

■話すスピードが速くなっても聞き取ってもらえるよう、母音を長くしっかり発音しましょう。

■大事なところで間を取り“タメる”ことで説得力を増しましょう。

■「うれしい」など感情ワードを意識的にちょい足ししましょう。

セクシーさん
タイプ

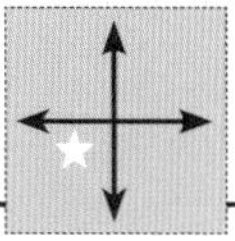

A面 **色っぽい・包容力・説得力・成熟した**

B面 けだるい・やる気がない・協調性がない・覇気がない

話し方が魅力的なこのタイプの有名人

【男性】 斎藤工さん　藤井風さん

【女性】 桃井かおりさん　YOUさん

特徴

声の高さは低〜中音域。声に雑味が多く、それが“ニュアンス”のある声を生み出しています。ユニークで個性的、クリエイティブな自由人という印象があります。

クリアな声が、透明でツルツルしている、角ばっているといった硬質なイメージだとするとセクシーさんの声は、倍音があったり、ざらっとしていたり、ちょっとかすれたりなど、ひと言で言い表せないくせや複雑さがあり、もっと聞きたい、私だけにささやいてほしいと思わせる大人の色気がある声です。この声を聞くとはっとして、一瞬で引き込まれてしまう魅力があります。

A面

寝起きのようなけだるい声がセクシーでモテ声。

みんながわいわい話している時に、ぼそっとつぶやくひと言で、聞き手を別の世界に引き込むような魅力があります。

あまりべらべらしゃべらないことで、洞察力があり懐が広い印象を持たれたり、人間的な奥行きを感じさせます。どこかミステリアスで、「もっと話したい、この人のことを知りたい」と思わせる魅力があります。

B面

いい意味でも悪い意味でもわが道を貫いている印象があるため、ビジネスの場では「扱いづらい」「協調性がない」とマイナスな印象を持たれてしまうかもしれません。

大人の雰囲気のせいで、本当はオクテなのに経験豊富だと勘違いされたり、実年齢より老けて見られるという残念な一面も。

B面の改善法

■セクシーさんは、話し方を変えられないタイプと、声の訓練や年齢を重ねた結果この声になった人の二通りがいます。前者は共感力・協調力をアピールすることで、マイナス面を克服できます。後者は自分が今どんな印象を与えているのかを再確認したうえで、TPO に合わせて声の高さや息の量を微調整して声の印象を変えていきましょう。

ぼくとつさんタイプ

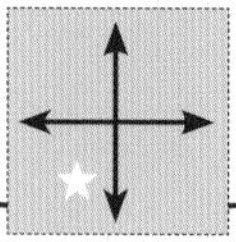

A面 **誠実そう・裏表がなさそう・洞察力**

B面 考えていることがわからない・腰が重そう・テンション が低い

話し方が魅力的なこのタイプの有名人

【男性】 松田龍平さん　姜尚中さん

【女性】 山崎静代さん（南海キャンディーズ）　蒼井優さん

特徴

声の高さは低〜中音域。舌の動きが重いため、ぼそぼそして聞き取りにくい声、あるいは不要なことを言わず返事はひと言だけで「口が重い」印象を与えているのがこのタイプ。映画の中の高倉健さんのようにチャラさとは真逆。一見地味だが「何か底知れないものを内に秘めているのでは」と思わせる不思議な存在感があります。

A面

不器用だが誠実で、いざという時に頼れる印象があります。あまりべらべらしゃべらないことで、洞察力があり懐が広い印象を持たれたり、人間的な奥行きを感じさせます。寡黙さがどこかミステリアスで、「もっと話したい、この人のことを知りたい」と思わせる魅力もあります。

B面

声も口も重いため実年齢より老けて見られるという残念な一面が。派手さに欠け、暗い印象を持たれると損かもしれません。深く考えているために言葉を慎重に選んでいる人はそれが伝わらず、何を考えているかわからないと思われてしまうことも。

B面の改善法

- ■口が重いぼくとつさんが口を開いた時に語るひと言には、その場の空気を変えてしまうぐらいのインパクトがあります。はっとするような視点、暖かい気持ち、相手への思いなど、日ごろから考えていることをすぐ言えるように、ネタ帳を作りましょう。
- ■あいづちを増やしましょう。何かリアクションすることで、話に参加している、相手の話をちゃんと聞いているという印象ができます。
- ■長老さんと同じで、何か面白いことを言ってギャップ受けを狙うのも手です。
- ■ラップの裏拍などリズム感を取り入れると、ゆっくり話しても軽快に聞こえます（P.104のエクササイズ21を参照）。

楽に声を出すためのウォーミングアップ

共鳴しやすい声道の形を作って声帯に負担をかけずに響く声を出すための、科学的な根拠のある練習をご紹介します。

1　ストロー発声法

- 太めのストロー（タピオカ用）を用意します。
- 唇の両側から息が漏れない程度にストローを軽くくわえます。
- 5秒程度息を吐いてみます。ストローの先に掌をあてて、息が安定して吐けているかを確認しましょう。
- 出しやすい高さで、「おー」でも「うー」でも出しやすい音で声を出します。この時ストローや口の周りを触ってみると振動を感じます。5秒から10秒声が出せるよう練習します。

  1日50回を限度として、気がついた時に行うようにしましょう。

2　Lip Buzz を発声につなげる練習

- 唇を軽く閉じ、唇の両側を指で軽くはさんで Buzz 音を出します。Buzz 音とは、みつばちの羽がこすれてブンブンいうような音。英語の「v」「b」などを出そうとすると出る音です。
- 「v」「b」を出しながら、指に伝わる振動を感じます。この振動が単語を発音する時にも続くようにし、最後は文章に移行します。

  「b - ぶたい」「b - ぶらんこ」「b - ぼうし」「b - ぼろぼろ」

  「ぶたいのぶらんこのうえのぼうしがぼろぼろだ」

第4章

B面を プラスに変える話し方

この章ではB面の弱点を改善するための具体的な戦略を、今日からすぐできる21のエクササイズとともにお伝えします。▶マークがあるエクササイズは、各タイプの冒頭にある二次元コードから音声をお聞きいただけます。

（ご注意）※本書のエクササイズは音声に関する疾患を治療するものではありません。
※サーバーのメンテナンス等によって、当該ウェブサイトや動画にアクセスできない場合がございますのでご了承ください。
※ウェブサイトや動画の操作方法、設定に関するお問い合わせは対応致しかねます。
※動画の無断転載や再配布、営利目的での利用はお断りします。

10のパーツでB面を改善する

メラビアンの法則をご存じの方も多いかと思います。メラビアンは、話者が聴衆に与えるインパクトを視覚情報、聴覚情報、言語情報（話の内容）の3つに分類しました。その中で聴覚情報は38%と4割近くを占め、話の内容よりも聞き手に与える影響が強いことがわかりました。

聴覚情報には、声のほか、発音、文の長さ、話すスピード、イントネーションからため息や口癖に至るまで、話者が声を使って伝えようとするときに発する音声要素がすべて含まれています。

本章では、これらの聴覚情報のうち、声を除いた音声要素を10個のパーツに分解して、これらを変化させることで、B面をプラスに変える方法をお伝えします。

聴覚情報の10パーツ

【文章の各パーツ】	【音の変化】
① 第一声 （挨拶・接続詞・うなずき・感嘆など）	⑥ 文章の長さ
② 文頭	⑦ 母音の長さ
③ 助詞（〜で、〜に、〜を、〜は、など）	⑧ 抑揚（高低差）
④ 語尾	⑨ スピード・リズム
⑤ 文末	⑩ 間

パリピさんのB面をチェンジ！

B面 うるさい・ふざけている → **A面** やる気があり信頼できる人

戦略

❶ 助詞 ➡ 低音にする

❷ 文末 ➡ 低音にする

❸ 第一声 ➡ 息混じりの声にする

エクササイズの音声はこちら▶

❶ 助詞と❷ 文末を低音にして落ち着きを出す

快活でノリのいいパリピさん。夢中で話してしまい、誰も止められないようなテンションになってしまうことはありませんか…？

そんな時は文章の終わりでスピードを落とすと、上がりっぱなしのテンションに歯止めをかけることができます。さらに助詞と文章の終わりの声を低くすると、落ち着いた印象になり、うるさい人から脱却できますよ。

エクササイズ 1

助詞と文章の終わりの声を低くする

話し出しはいつもと同じ声の高さでも、助詞と語尾、文末で声を低くすると落ち着いた印象になります。

例 「今日は、雨の心配を しなくても 大丈夫 みたいです。」

エクササイズ 2

文末のスピードを落とす

とっても簡単。文末の遅くしたい言葉を言いながら、足で床を踏み込むだけです。

例 「ありがとうございました」
➡「ありがとうございい」「まし」「た」 ――で踏み込む

この時、足は地面に着けたまま位置は変えずに体重をかけるだけですからばれません。座っている時は机や太ももに手を置いて、体重をかけるようにすればいいです。

石川さゆりさんなど演歌歌手の方がこぶしをまわす時に足を踏み込んでいるのを見たことはありませんか？　同じ要領で、小さい動きで足の裏全体に体重をかけるようにします。

❸第一声を息混じりの声にする

息の多い音で話し始めることで、やわらかい声を誘導しましょう。

エクササイズ 3

「は」から息まじりの声を誘導する

1 ティッシュを細長くちぎって、口の前に置き、ティッシュに呼気が当たるように「はぁー」「ひぃー」「ふぅー」「へぇー」「ほぉー」と発声します。

2 ティッシュがはためいて息があたっているのを確認したら、**1**よりも小さい声で
「はぁー」「ひぃー」「ふぅー」「へぇー」「ほぉー」と発声してみます。この時、息のみの無声音ではなく小さくてもちゃんと声になっているかを確認するために、甲状軟骨(のど仏)に指をあててみます。あてた指に振動が伝わってきたら、声が出ている(有声音になっている)証拠。

3 **2**の声で文章を読んでみましょう。

「はやく　ははが　はまべで　ひとねむり　しますように」
「ひゃくえんしょっぷの　ほっとけーきのもとが
ひょうばんです」

4 **1**～**3**の練習で息の多い声が出せたら、日常会話で第一声を息の多い「ハ行」や「サ行」にして、やわらかい声を出す習慣をつけていきます。

例
「あ、そうなんですね」➡「はっ、そうなんですね」
「よし、行こうか」➡「さあ、行こうか」

アイドルさんのB面をチェンジ！

B面 子どもっぽい・世間知らず

A面 意外としっかり者

戦略

❶文末 ➡ 低音でキッパリ言い切る

❷文章の長さ ➡ 一文を短く

❸第一声 ➡ きちんと感をアピール

エクササイズの音声はこちら

❶文末を低音にして言い切る

声に明るい響きがあるアイドルさん。朗らかで、楽しげに聞こえます。それが裏目に出ると、真剣味が足りない、のんき、子どもっぽい、と取られてしまいます。そこで、真剣な場面では、文末や語尾を低音にし、キッパリ言い切ることで楽しさや甘さを消しましょう。

アーティストが手を上げたり下げたりしながら歌っていることがありますが、それは手を上げると高音が出やすく、逆に手の平を下に向けて押し下げると声が低くなるからです。この原理を使って、文の終わりで手を下げましょう。

エクササイズ 4

文末を低音にして短く切る

話し出しはいつもと同じ声の高さでも、文末で手の平を下に向けて押し下げることで声が低くなり、落ち着いた印象になります。その時に下まで下げた手の平をボールをつく時のように弾ませると文末の音が短くなります。

例「わかりました。
ほかに改善すべき点があればご指摘ください。」

❷一文を短くする

文章が長いとダラダラした印象になります。1文章1テーマ。主語と述語が一つずつで一文として話す練習をしましょう。

エクササイズ 5

一文を短くする

次の文を主語と動詞が一つずつの短い文に分解しましょう。

「この時にこの案が却下されたのには事情があって、それは、同じ時期にA社から似たような商品が発売されたからなんですよね。」

↓

例 「この時にこの案は却下されました。なぜか？　同じ時期にA社が似たような商品を売り出したからです。」

❸ 第一声→挨拶＋ひと言できちんと感をアピール

子どもっぽい、頼りないと思われがちな人なら、挨拶するタイミングを利用して、先手必勝の作戦を取りましょう。

「おはようございます」で終わらないで、

「おはようございます。これからご指導よろしくお願いいたします」と挨拶にプラスして、自分がしっかりした人間であることをアピールしてしまうのです。

「ここで仕事ができてとても嬉しいです」「戦力となるよう努力いたします」など、その場にふさわしい礼儀や意欲を示すような言葉をつけ足してください。状況によっては次いつ自分から話す機会があるかわかりません。「幼そうに見えるけれど、結構しっかりしているな」と感じてもらえたら大成功です。

リーダーさんのB面をチェンジ！

B面 強い・怖い → **A面** 意外とカワイイ！

戦略

❶ 文末 ➡ 弾ませて軽快に

❷ 音感 ➡ かわいい音「マ行」「ヤ行」の音を強調

エクササイズの音声はこちら ▶

❶ 文末を弾ませて軽快にする

話し終わりがゆっくりしたスピード、低い声で断定型になった時、マックスに怖くなるリーダーさん。その逆をやれば、怖い印象をやわらげることができます。

文末に小さいツ「ッ」を入れてはねるようにすると同時に高めの声にすると、軽く弾んだ印象になります。また、文末を間伸びさせたり、想定外の間を取ったりするなど、遊びを取り入れることで、リーダーさんの硬い印象がやわらぎます。

エクササイズ 6

文末・語末を軽快にする

文末と語末を以下のように発音してみましょう。

- **文末・語末を弾ませる**

「ありがとっ」「ありがとねっ」

- **間をあけて「タメ」を作る**

「ありが(1拍タメてから)とう」

- **語末の「とう」を高くのばす**

「ありが(一拍タメてから)とぉー」

語尾を変化させられると、意思や感情まで語尾で表現できるようになりますので、表現力アップにもなります。気に入ったパターンを使ってください。

❷ かわいい音「マ行」「パ行」「ヤ行」の入っている単語に言い換える

プロの声優やナレーターは、ボイスサンプルという自分の声の特徴や表現力、読むスキルなどがわかる宣材（自分のプロモーションビデオのようなもの）を持っています。かつて所属していた俳協（俳優生活協同組合）という事務所では当時２年に一度ボイスサンプルを制作しており、みんなその時期は仕事と同じぐらいの熱量を注いで必死で原稿を準備していました。なぜならボイスサンプルは商品見本のようなものなので、そのできばえいかんで仕事の受注量に影響が出てくるからです。

自分の「味」を最大限に表現するため、自分の一番良い声が活かせるように原稿を作成します。例えばやわらかくて女性らしい、たおやかな語りが魅力の女性ナレーターのサンプルには「マ行」が多く使われていました。

両唇音と言われる「マ行」「パ行」はかわいらしさと結びつく音であるという研究があります。パンパース、メリーズなど、オムツの名前にはマ行やパ行が多用されています。また「ヤ行」は、あいまいでゆらぎがあり、優しい響きがあります。

エクササイズ 7

「マ」の音をかわいく発音する

「うまい！」➡「うんまーい！」 のように、「ま」の前に「n」を足すように発音すると「ま」が強調されます。

例 「nまぁー、いいんじゃないか」
「本当に、ごくろうさnま」

エクササイズ 8

「ヤ」行の音を取り入れる

　半母音の「や」は「わたり音」とも言われ、母音の「い」を変化させながら発音するやわらかい音です。濁音である「だ」より「や」の方がやわらかい響きです。

例
「そうだ」➡「そうや」
「あーつかれた」➡「やれやれー」

　20年前に東京から関西に引っ越した時、「せやなあ」「そうやね」「そやそや」という言葉の響きが、優しくて暖かくていいなあと感じました。しかし、関東出身者の私が大阪弁や京ことばを話そうとすると無理があるし感じも良くない。そこでしばらく聞いているだけにしていたのですが、20年たった今、自然に口に出るようになってきました。とはいえ照れもありますので、

　「そうね」と　「そうやね」の中間を取って、さりげなく

　「そう↓ ぃや　ねー↑」と「ぃや」を低めの声で小さく発音するような言い方に落ち着いています。

長老さんのB面をチェンジ！

B面 怖い ➡ **A面** 面白い！

戦略

❶ 第一声 ➡ 軽快にする

❷ 第一声 ➡ うなずきをハミングで

❸ 文末 ➡ 疑問形を増やす

エクササイズの音声はこちら ▶

❶ 第一声を声とギャップがある軽さでいく

以前収録の仕事で、悪役や、妖怪など人間以外の声などがはまり役の、ある声優さんとご一緒しました。初対面の時、ガラスがビリビリと震えそうなバリトンボイスでご挨拶されたので、私は少し怖く感じて構えてしまったのですが、その後その方が自分のことを「おいらはー」と重低音の美声で言っていたのがおかしく、かわいらしくて思わず笑ってしまいました。

これはいわゆる“ギャップ萌え”効果ですね。声で怖い印象を持たれるのが悩みの人は、第一声で声からくる印象とは真逆のことを言ってみましょう。山田ルイ53世さんの声も長老さんタイプですが、あの声で「ルネッサーンス♪」と明るく言うから面白いのです。何かお約束のセリフを作って、「そろそろ出るぞー」と期待されるようになったら大成功です。

エクササイズ 9

いつもの挨拶に軽さを出す

いつもの挨拶を心の中で役柄設定して言うことで、「丁寧すぎて面白い」「笑ってしまうぐらい明るい」などツッコミどころを作ります。

●「おはようございます」を次のト書きのように言ってみましょう。

1 老執事がお嬢様に言うように
2 びっくりして「おーっ、おはよー」

「朝からヤケに熱いなこの人」と相手が思ってくれる。「『おー』じゃないよー」のようにツッコミを入れて笑ってくれる人がいたら大成功です。

とはいえ、自分にぴったりで人が面白いと思ってくれる言い方を探すのはなかなか難しいです。地味ですが、アニメやドラマ、映画などを参考に、心の中で毎日設定を変えて挨拶してみて、これならいけると思う言い方を探してみてください。

❷ あいづちは短いハミングで

長老さんの中には、声が響きすぎることを気にしてあいづちをあまりしないという人もいます。声をしっかり出さず、ハミングでやわらかくあいづちを打つ練習をします。

エクササイズ 10 ▶

ハミングをあいづちに変える

- 小鼻に指をあてながら、「んー」とハミングします。
  この時、鼻にあてている指に振動が伝わることを確認。同時に喉に力が入っていないかも確認しましょう。
- 長く出す「んー」ができたら「ん、ん、ん」と短く切って。
- 次のト書きのようにあいづちを打ってみましょう。

1 相手の話をうながして
2 えっと驚いて
3 嬉しいことを聞いて

4 良くないことが起きて　「何だって！」という気持ちで

5 聞き取れないからもう一回言ってという気持ちで

❸ 文末に疑問形を増やす

話の終わりを断定形ではなく質問形にすることで、柔軟性や相手への気遣いを伝えましょう。

エクササイズ 11

以下の文章を疑問形に変えて言ってみましょう

- 「これやっといて」➡「これやってほしいけど、できそう？」
- 「ありがとう　おつかれ」
  ➡「ありがとう　まとめるの大変だったんじゃない？」
- 「なんで間に合わないんだ！」➡「何があったの？」

妖精さんのB面をチェンジ!

B面 消極的・頼りない → **A面** 動じない静かな強さ

戦略

❶ スピード ➡ 自分のペースを貫く
❷ 抑揚 ➡ 自分の抑揚を貫く
❸ 文末 ➡ 子音をシャープにする

エクササイズの音声はこちら▶

❶ スピードは一定にし、自分のペースを保つ

優しく穏やかで、話を聞いてくれそうな雰囲気を醸し出している妖精さん。相手のペースに合わせすぎたり、ムチャブリに困ったり、慌てたりする様子を見せる時、頼りない印象がマックスになります。そんな妖精さんがパワーを出すには、あえて一定のペースと抑揚で淡々と話すのが効果的です。

自分の世界観を維持することで誰が相手であっても動じない印象となります。ただし、協調性がない人にならないように、あいづちは大事。鼻で軽く「んー」と言うだけでもいいのであいづちを打ちましょう。あいづちについては、ぼくとつさんのエクササイズ20（102ページ）で詳しく解説しています。

❷抑揚を抑え、動じない印象を

あえて淡々とすることで、❶のスピードとあいまって、「動じない人」「落ち着いた人」の印象が出ます。穏やかで優しいけれど、何でも言うことを聞くというわけではない、ムチャブリをされても「のれんに腕押し」の人に。

エクササイズ 12

モノトーンで長く話す練習

- 出しやすい高さで「あー」と長く声を出します。
- 同じ高さを保ったまま、「あー」から誘導して以下の文章をひと息で読みましょう。

「あーしたの朝までにあなたのパートをまとめておいてください。お願いしますね」

ここでは敢えて一本調子で間を取らず言うことで、やわらかい声でもスキがない印象になります。女優の奈緒さんがこの言い方が得意です。この言い方で、清らかで静かなほどに凄みのある存在感が出ており、演技の幅を広げているように感じます。

❸ 文末は断定型で歯切れを良くする

文末をシャープにする（歯切れよくする）ためには、文末の最後の音を言う時に首を横に振ります。すると息がシャープに出るので音が切れ歯切れ良く聞こえます。「え、そんなことで？」と、信じられないかもしれませんが、実際やってみると効果がわかるでしょう。

また「わかりました」の「た」を歯切れ良く発音できると、シャープな印象になります。「た」は、舌の先を上あごの歯茎の裏につけて発音する音です。舌の位置が間違っていたり、舌先の力が弱いと歯切れが悪くなります。

エクササイズ 13

文末の子音をシャープにする練習

「た」「す」「か」など、文末でよく使われる子音にエッジを聞かせてシャープにします。

A.「た」をシャープにする練習

1 「た」と発音する時、舌の先がどこにあたっているかを確認します。

2 舌先を上あごの歯茎の裏につけて息が鋭く出るように「t」と発音してみます。この時、のど仏にさわって声帯が振動していないのを確認します。

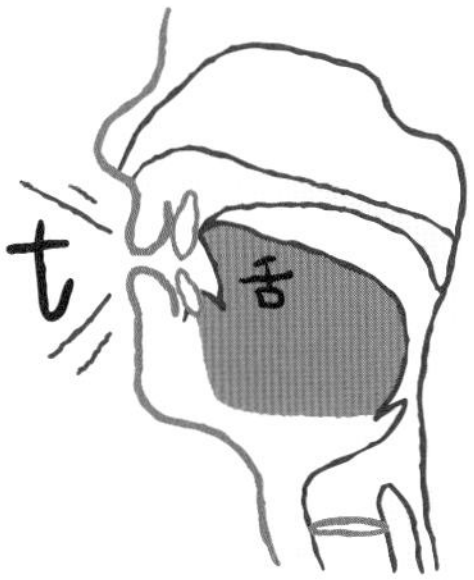

3　「たったったったったったっ」と連続で発音します。

4　発音時下あごが同時に動いてしまう人は、下あごを軽く指で押さえてみます。

5　気がついた時に、「たったったった」と発音して舌先の位置を確認する。声を出さなくても効果があります。

B.「す」をシャープにする練習

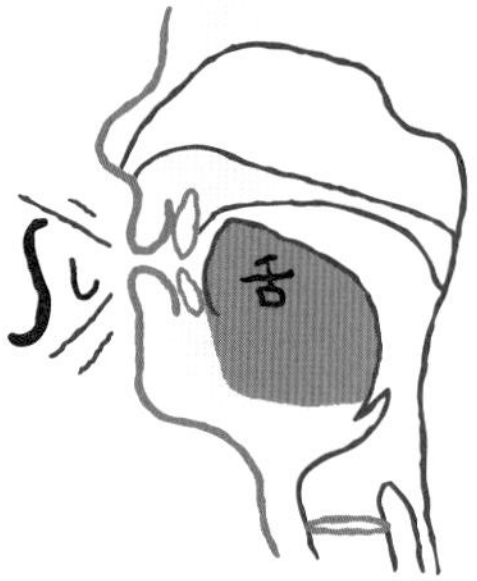

1　「す」と発音する時、舌の前のほう（舌先ではない）と歯茎で隙間を作り、すの子音の「s」を出してみましょう。この時、「t」と同様、のど仏にさわって振動がないことを確認します。

2　歯茎と舌の間の隙間を狭めるようにすると、息にスピードが出て「s」がシャープに発音できます。

3　「s」がシャープに発音できたら、母音の「う」をつけて「す(su)」と発音しましょう。

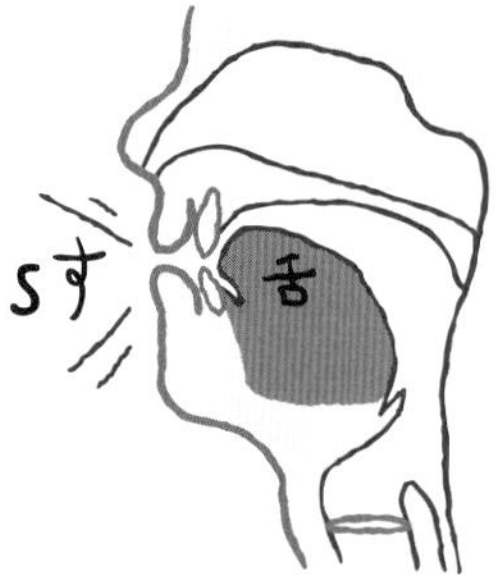

4　「そうです」を「そうでs――――う」とsの子音を長く出して発音します。

5　「そうです」の「す」を言いながら首を横に振りながら息を切って「そうですっ」と発音します。

クールさんのB面をチェンジ！

B面 やる気がない → **A面** 切れ者 理知的

戦略

❶スピード ➡ 速くする
❷母音の長さ ➡ 長くする
❸間 ➡ 適宜“タメる”

エクササイズの音声はこちら▶

❶スピードを速くする

一般的には、「早口は良くない」「落ち着いてゆっくり話そう」と指導されます。しかし、おとなしく覇気がない印象のクールさんの場合は、あえて抑揚を抑えた早口にすると切れ者の印象になります。

ただし、早口になりすぎて何を言っているのかわからなくなるようでは逆効果。母音をしっかり出す（エクササイズ15で練習）、話のポイントで間を置く、強調するなどのテクニックで、話し上手を目指しましょう。

エクササイズ 14

早口で話す

1 出しやすい高さで「あー」と発声します。
2 「あーあえあえあえあえ」とひと息で発声します。
3 「あーあえいあえいあえい」➡「あーあえいおあえいおあえいお」「あーあえいおうあえいおう」と続けます。

❷母音の長さを長くする

早口にする問題点としては、聞き取りにくくなること。早口で話す時は母音をしっかり出すこと、伝えたい単語の前で間を取ることで、早口でも自分勝手ではなく聞き手を置き去りにしないように話すことがポイントです。

エクササイズ 15

母音をしっかり出す

1 文章の中の母音だけを取り出して書き出します。
2 文章と同じイントネーションで母音を読みます。
3 子音をつけて元の言葉に戻します。
➡スピードを上げていきます。➡早口にします。

例「時間に　なりましたので、
これから　会議を　始めたいと　思います。」
（いあんい　あいあいあおえ、
おえあお　あいいを　あいえあいお　おおいあう）

例「よろしく　お願い　します！」
（おおいう　おえあい　いあう）

母音だけ取り出した文章を、同じイントネーションで読むのは少し難しく感じるかもしれません。繰り返していくうちに慣れてくるとスラスラ読めるようになりますよ。

文章から母音だけ取り出す

じ　か　ん　に　な　り　ま　し　た

▼

ji　ka　n　ni　na　ri　ma　si　ta

▼

i　a　n　i　a　i　a　i　a

▼

い　あ　ん　い　あ　い　あ　い　あ

❸間 ➡ 大事な場所でタメを作る

エクササイズ2のこぶし練習と同じやり方で、大事なことを言う前に「ウン♪」と手でこぶしを小さく振り下ろし、タメを作りましょう。

エクササイズ 16

こぶしでタメを作る

- 下の文のこぶしマークのところでこぶしを振り下ろします。

例「今年度のわが社の目標値は
無事達成されました！」

＊「今年度のわが社の目標は」までは早口で

セクシーさんのB面をチェンジ！

B面 とらえどころがない・ゆるい → **A面** クリエイティブな仕事人

戦略

❶ 第一声 ➡ ハキハキ

❷ 語尾と文末 ➡ 消えないようにしっかり

❸ 第一声 ➡ 高低差を明確にする

エクササイズの音声はこちら▶

❶ 第一声（挨拶）をはきはきとする

いつも「どーも～」と挨拶している人がここぞという時にはきちっと挨拶ができると、「遊び心はあるけれど常識がある人」「けじめがある人」という印象になります。挨拶一つで「いつもはゆるい雰囲気だけどＴＰＯをわきまえられる才人」と思ってもらえるなら、お得ですね。しっかり練習しましょう。

新人でもないのに今さら挨拶の練習なんて恥ずかしい、と思う方もいるかもしれません。が、日常会話でとっさに口に出るのはいつも言い慣れている言葉です。そして、ふとした時にとっさに出る言葉には、あなたの相手に対する本音が現われるものです。ぞんざいな言葉づかいをしたばっかりに相手に反感を持たれるのは損です。反復練習を繰り返して、自然にさりげなく、人に好感を持たれる言い方ができるまで練習しましょう。

エクサイズ 17

基本の挨拶言葉の練習

以下の挨拶を壁に貼り、毎日声に出して言いましょう。

ありがとうございます

失礼いたします

承知いたしました

お疲れさまでした

申し訳ございません

少々お待ちいただけますでしょうか

お先に失礼いたします

おはようございます

このほかに、いつも使っている挨拶言葉があれば足しましょう。たとえば「今日もよろしくお願いしますね」「いつもご苦労さまです」など。毎朝、仕事を始める前に声に出して練習してください。

❷ 語尾と文末が消えないように キレをよくしっかり出す

襟を抜いて着物を着ると、男性なら着流しの遊び人風、女性なら粋な女。しどけなさが出ますよね。話し声も脱力系でふわふわしていると、「型にとらわれない」「自由な」「色っぽい」印象になります。

そんなセクシーさんの改善ポイントは、「締めるべきところを締める」です。締めるべきところというのは、助詞や語尾、文末。間延びしないように、抑揚は音の高低差をクリアにつけて、着地する音はフェイドアウトしないようにしっかり出します。

エクササイズ 18

フレーズをシャープに、文末を短く切る

政治家の演説のように、手をグーにして振り上げて下ろすだけ。小さい動きでも同じ効果があります。両手を合わせて小さくたたくのもオッケーです。

● 下線部分で、グーの手を振り下ろしましょう。

例 「私はこれまで、何度も、何度も失敗をしてきました。だから、今日、私は成功したんです。」

❸ 抑揚 ➡ 高低差をはっきり

単語や音節レベルで、くねくねと声の高さをやわらかく上下

させる話し方は、揺らぎを感じさせ、セクシーな印象になります。くねくねしゃべりを改善するには、抑揚をつける時の音の高低差を曲線的ではなく直線的に変化させましょう。これも手を使って、直線的に振り下ろす動きに合わせて話すことで簡単に練習できます。

エクササイズ 19

くねくねしゃべりを改善する

1 両足を肩幅に開いて立ちます。片方の肘を軽く曲げて、手は胸の前で５本の指を合わせて軽く曲げます（手のひらに卵を載せている感じ）。その状態で鼻から息を吸い、口から息を吐きながら肘を伸ばして手を前に出します。目は手の動きに合わせて指先を見つめます。次に、出しやすい高さで声を出しながら同じ動作をやってみます。前に出す手の動きに合わせて、最後まで同じ音量になるよう、まっすぐ声を出しましょう。

2 続けて、エクササイズ 17 の挨拶言葉を言いながら、同じ動作をやってみます。手の動きに合わせて、指先を見つめながら、「おはようございます」の「す」まで、同じ音量を保ちながら言ってみましょう。

セクシーさんの声がくねくねするのは、呼吸にゆらぎがあるからです。手の動きに合わせて息を吐いたり声を出したりすることで、呼吸のゆらぎをまっすぐにすると、声の揺らぎもなくなり、まっすぐな声になるのです。

ぼくとつさんのB面をチェンジ!

B面 素朴 → **A面** 影の参謀

戦略

❶「あいづち」のバリエーション
❷スピード ➡ 速く
❸母音 ➡ 長く　❹強弱のリズム

エクササイズの音声はこちら▶

❶「あいづち」を積極的に入れていく

　口数が少なく、口を開く時はゆっくり話すため、「口が重い」「おっとりしている」「消極的」「オクテ」と思われがちなぼくとつさん。こまめにあいづちを入れていくことで、相手の発言に反応している、口が重くない人という印象を出しましょう。

エクササイズ 20

あいづちを豊かにする

　口が重い分、あいづちは必ず入れましょう。発言が少なくてもあいづちで反応することで、会話に参加している、積極的に相手の話を聞いている、という意思表示ができます。面接や目上の人に話す場でなければ、あいづちは単語でなくでも「んー」「ふんふん」などの「音」でもかまいません。

1 小鼻に手をあてて「んー」と発音しながら手に振動が伝わっているかを確認する。
振動が大きい時は声が大きくなっていることを確認する。

2 ト書きに合わせて、意味を入れて行ってみる。

- （Yes の意味で）「んー」
- （No の意味で）「んー」
- （聞いているよと言う意味で）「んー」
- （驚いて）「んー？」
- （よろこんで）「んー♪」
- （むっとっして）「んー」
- （意外そうに）「んー？」
- （一口食べて、あまりに美味しくて）「んー！」

どうですか？　言葉にしなくても、口さえ開かなくても、バリエーションが広がりませんか？

❷話すスピードを上げる

話すスピードを今より少しでも速くできるなら、速くしましょう（96ページのエクササイズ14参照）。難しい場合は無理にしなくても大丈夫です。なぜなら妖精さんと同じで、無理をしていることが相手に伝わると、さらにパワーが落ちるからです。

速く話そうとするあまり呼吸が浅くなり、力みが入って顎がこわばる、首に筋が立つようでは逆効果。そうなる場合は話すスピードは上げずに、大きく構えてどっしりしていましょう。

❸ 母音をクリアにする

低い声でゆっくり話す場合でも、母音をクリアに発音できると、ぼそぼそした印象が軽くなり、声も大きく聞こえます。

練習としては、エクササイズ 15：母音化練習 (96 ページ) を参照してください。

❹ 強弱のリズム

話すスピードを速くできない人は、リズムを取り入れましょう。難しく考えなくても、一拍遅らせるだけで、「後ノリ」になり、リズムに変化がつきます。また、短かく答えると、軽快でノリの良い印象になります。

エクササイズ 21

あいづちにノリを入れる

1 手を叩きながら「いち、に、さん、し」と声を出します。ひざを曲げるなど体も一緒に動かしてリズムを取ります。

2 リズムを取り続けながら、「だね」というあいづちを「に」と「し」で入れていきます。

「いち♪　(に♪)　さん♪　(し♪)」

だね　だね

3 会話で練習します。

例

「4人いるからタクシー乗っちゃう？」

「あー、そうだね」➡「(一拍数えて) だね！」

短くリズミカルに答えると、軽快でノリの良い印象になります。

ヒント

ハミングを出しにくい人の練習法

本章では、あいづちを打つ時に、ハミングからうなずきへと誘導する方法を紹介していますが、ハミングが出しにくいという方もいると思います。その場合の練習法を紹介します。

- ストロー発声法（74ページ参照）でストローをくわえている時と同じ口のフォームを作ります。
- 上唇の上、鼻の下に人差し指をあてます。
- 「んー」とハミングして指に振動が伝わっているか確認します。
- 低い声、中音域と2種類の声を出して、振動の差を確認します。
- 「強く出す→弱く出す」を両方の高さで繰り返して、うなずきで使いやすい声を決めます。
- 高い声のハミングは、鼻に手をあてて小鼻に伝わる振動を確認します。

※自分の出しやすいハミングを見つけて、その音を出す練習をしてみてください。

Column

自分の声を録音して聞くことは お金のかからない上達法

本書では、自分で簡単にできるエクササイズを紹介していますが、本を読んだだけでは話し方は変わりません。反復練習をしてください。無意識にできるようになってはじめて、日常で使えるようになります。

練習する時にはぜひ録音をして、ビフォー・アフターを比べてください。「こんな練習をして意味があるのかな」と思っていた人も、「確かに良くなっている」と実感すればモチベーションが上がるはずです。自分の成長の跡を確かめるためにも、最初に録音した音声は絶対に捨てないでくださいね。

できれば、普段の会話の声を自分でこっそり録音してみましょう。「目上の人と話す時はおどおどしている」「意外とぶっきらぼうだ」など気づいてショックを受けるかもしれませんが、一度聞けば、次回から自然と話し方が変わってきます。自分の声を聞くことは、手間も人手もコストもかからない、最高のレッスンなのです。

ところで、録音した声を聞くと「私の声ってこんなに変なの?」とショックを受ける人がほとんどです。これには理由があります。

私たちは自分の声を、頭蓋骨を通して伝わる「骨導音」と、口から出た声が空気を通して伝わる「気導音」の組み合わせとして聞いています。一方、録音されるのは「気導音」だけなので、骨導音(主に低音)がカットされた深みのない声に聞こえるのです。これが違和感の正体です。しかし、この「録音された声」は、他人があなたの声だと思って聞いている声です。何度も聞いて慣れ、受け入れていくしかありません。自分の声に慣れるだけでなく耳も鍛えられて、練習してどのくらい上達したかも聞き分けられるようになります。格段にトレーニングの習得速度が上がりますよ。

第5章

【場面別】自分の声を活かした話し方

この章では、ビジネスや生活シーンごとに、
みなさんの声の特徴を活かした声の出し方・話し方について解説します。

スピーチ・プレゼン

- パリピさんは一本調子にならないように
- リーダーさんは質問を入れてフレンドリーに
- 妖精さんは睡魔に要注意

パリピさんはノリが良く明るい特徴が最大の強み。スピーチやプレゼン向きの声ですし、率先してやりたい、という方のほうが多いと思います。このタイプの声の人に「さあ、みんなでやりましょう！」と言われると、不可能なことも可能になりそうな勇気が湧いてきます。

ただ、パリピさんは、テンションが高いトーンのままで話すと一本調子になり、耳に残らないという弱点があります。これを避けるには、「強弱のメリハリ」と「間」を上手に使いましょう。たとえば、「私がお伝えしたいポイントは3つあります。一つは、『○○○』についてです」を言う時に「私がお伝えしたいポイントは（間）3つあります。一つは（間）『○・○・○について』（ゆっくりはっきりと）です」というように、一つの文の中で強弱をつけたり間を入れたり、変化をつけます。これで一本調子の印象はなくなりますし、聞き手にもしっかり伝わります。

全部をこの話し方にするとくどくなりますので、ここぞというところだけ変化をつけます。また、文章単位ではなく、ブロック単位で軽く話す個所と、熱意をもって話す個所を作るようにすると、スピーチ全体にメリハリがつきます。

リーダーさんは、説得力がありスピーチ向きの声ですが、相手によっては威圧的に聞こえるのが弱点。この場合、「第１位はど

こだと思いますか？」「みなさんはどう思われますか？」と、ところどころ質問をはさんだり、「最適解を考えてみましょう」など参加型にすると、フレンドリーな印象になります。

妖精さんは、パリピさんやリーダーさんのようにぐいぐいと人をひっぱっていく声ではありませんが、ドキュメンタリーのナレーションのように、感情を抑えて淡々と状況を語ることで聞き手の心を動かしていくようなプレゼンは意外に向いています。ただ、やわらかい声、淡々とした語り口の癒し効果で、聞き手の眠気を誘うという弱点があります。さらっと言っていい内容のところは早口で言ったり、語尾をしっかり言い切ることでメリハリをつけましょう。

大事なところで間をとることも大事です。「最後に、私が一番言いたかったこと（3 秒くらいの間）、○○についてお話します」のように、聞き手が一瞬、「ん？」と不安になるほど長い間を入れると注目度が高まります。これは全タイプの人が使えるテクニックですので覚えておきましょう。

ワンポイントレッスン

■プロミネンスを意識しよう

プロミネンスは、大事な語を際立たせて発音することによってその言葉に特別な意味合いを持たせたり、強調するためのアナウンス・スキル。

「この角を右に曲がってください」の「右」をしっかり伝えたいと思ったら、どうしますか？ 「みぎ」を高く、強く発声する、さらに右の前で間を取るなどの方法が思いつくのではないでしょうか。

①音の高低　②強弱　③母音の長さ　④間　⑤音質などを組み合わせることで何通りものプロミネンスができ、その人らしい話し方になります。

ヒント

自信をもって話す一番の秘訣はたくさん練習すること

スピーチ・プレゼンでは、話の構成や言葉が一番大事ですが、スピーカーの「あり方」も同じように大事です。

聞き手は最初の数秒で、スピーカーの「あり方」を見抜いてしまうものです。経験不足で緊張している、準備不足で焦っている、上から目線で聴衆に教えてやろうと思っている、全力で伝えたいと思っている…など、隠そうとしても、態度や声に現れてしまうのです。

聞き手に好意を持って聞いてもらいたいなら、自然体で自信をもって話したいものです。

自信をもって話すために最も効果的なのは、何度も練習することです。多くの人は話す内容を考えることには時間をかけても、予行練習は2～3回程度しかしないのではないでしょうか。私の知っている俳優や声のプロは50回、100回と練習しています。それでいて本番ではさも今思いついたかのように自然に話すのです。そこまでは無理でもせめて10回、できればスクリプトを見なくても話せるくらいまで練習しましょう。

Practice makes perfect！　ですよ。

就活面接

- パリピ、リーダーさんは“見掛け倒し”に要注意
- 妖精さん、セクシーさんは挨拶はテンション高く。語尾ははっきり
- ぼくとつさんは、一瞬の間を狙え！

パリピさんとリーダーさんの声は、はきはきと元気な印象なので、面接での第一印象もポイントが高いはずです。ただ、二次、三次と面接を重ねていくと採用担当からの質問も込み入ったものになってきますから、ただ明るいだけ、元気がいいだけだと第一印象が良い分「見掛け倒しだな」というイメージを持たれてしまいます。想定問答集を作るなどして、しっかり内容を詰めておくことが勝因となります。

妖精さんとセクシーさんは、大きな声を出すのが難しくても、挨拶だけはテンションを上げて明瞭に発声しましょう。また、このタイプは呼気が続かず語尾にいくほど声が弱くなる人もいて、気弱な印象を与えてしまいます。語尾はしっかり声を出して歯切れよく。「ですっ」と、最後に小さい「ッ」を入れるつもりで。また「〜だと思います」よりも「〜です」と断定を多くして、気弱な印象を払拭しましょう。

ぼくとつさんは、声が小さくゆっくり話す傾向があるため、押しが弱い印象がありますが、押し付けがましさがなく誠実な印象を与えるという利点もあります。無理をしてはきはき話さなくても、誠実さを

前面に出せばいいのです。ただ、話すスピードが遅いと聞き手がじれったく感じることがありますので、この場合もあらかじめ想定問答を用意して、考える時間を短縮し、その分早口で話しましょう。

ゆっくり話すので、グループ・インタビューではタイミングを逃し、発言のチャンスが回ってこないこともあります。その場合は、一番よくしゃべっている人が一瞬息継ぎをしたときや、みんながどっと笑ったあとの一瞬の間をついて、気の利いたひと言を言うと、思考力の高さ・洞察力がアピールでき、「お、こいつなかなかやるな」と、ぐっと好感度が上がります。

かつて私がＴＶのワイドショーでレポーターをしていた時がまさにそうでした。取材対象者を記者やレポーターが取り囲んで行う囲み取材で、大先輩のレポーターがしゃべっているところに割って入るのが苦手でした。が、何か質問して爪痕を残さなければなりません。そこで考えたのが、場がドッとわいたあとの一瞬の間をついて「短くズバッと聞く」ということ。でもそのためには準備が必要です。こんな場合にはこう言おう、こう聞こうと、あらゆる展開を想定して、ネタをためておくことがポイントです。準備には時間がかかりますが、内容が自然に頭に入りますし、思考の整理もできます。準備は決して裏切りません。

ヒント

オンライン面接の注意点

対面とオンラインの面接を併用する企業が増えてきました。面接では第一印象が大切ですが、対面時とオンライン時の対策は同じではありません。就活生にとっては悩ましいことですね。

ここで、オンライン面接での注意点をまとめておきます。

- オンラインでは声は大きくなくてもいいが、一定の音量を保ち、雑音は極力減らしましょう。
- オンラインでは、どんなにいい応対をしても、聞きづらいとマイナスポイントに。必ず事前にマイクのテストをしましょう。
- オンラインのほうが話がダラダラして聞こえやすいので、一文が長くなりすぎないように。
- できれば誰かに面接官役になってもらって練習し、録画・録音して、早口になっていないか、母音がきちんと発音できているか、あいづちや受け答えのタイミングがずれていないかを確認しましょう。

面接で大事なのは第一印象。対面・オンラインにかかわらず、どのタイプの人も、最初の挨拶は繰り返し練習し、毎回動画に撮って確認するようにしましょう。

動画・音声配信

- 全タイプ、個性全開で！
- ゆっくり話す人は時々早口を織り交ぜて
- パリピさんは突然の大声に気をつけましょう

どのタイプの人も、自分の個性を前面に出すべきなのが動画や音声配信です。ネット上にはたくさんの動画がひしめいていますから、「人と違う」＝個性がそのまま武器になります。そのうえで、成功のポイントは「機材選び」と「安定した声のボリュームを保つこと」。マイクは多少お金をかけて性能の良いものを選ぶとコンテンツの質が上がります。

音量はできるだけ一定に保ち、大きく変わらないように話すことが大事です。聞き手はイヤホンやヘッドフォンをしていることが多いので、音量がいきなり大きくなると不快ですし、耳にもよくありません。テンションが上がって思わず大声を上げたり、急に「ギャハハ」と笑ったりしないよう要注意です。プロはトークと同じ音量でハイテンションの笑い声が出せるものです。

マイクがあるため大きな声で話す必要はありません。無理して声を作らず、本来の声で自然に話すほうが好感が持てます。

動画は、つまらないとすぐにスキップされてしまいます。ゆっくり話していると早送りされやすいので、いつもよりテンポをあげて話すようにしましょう。ただ、パソコンやスマホを通した声は圧縮されて聞きづらくなりますので、「早口でも聞き取りやすく話す」ことが全タイプ共通のポイントです。そのためには、母音化練習（96ページのエクササイズ15を参照）が効果的です。母音がしっかりしていると、倍速にされたとしても聞き取りやすいです。

普段ゆっくり話す人は、慌てて早口で話すよりも、「巻けるところは巻く」

作戦で。これにより、配信時間が短縮されるだけでなく、聞きやすく、軽快な話し方になります。たとえば、「次回のミーティングは3月15日午前10時から、会議室Aで行います」であれば、「3月15日午前10時」「会議室A」だけを、「聞き手がメモを取れる」ぐらい丁寧に言って、あとはさらっと流す。これで大幅スピードアップです。

また、耳で聞きとりやすい言葉を選ぶことも大事。基本は、なるべく“訓読み”で言うこと。たとえば、「かいてい」と言うと、「改訂」「改定」「開廷」「海底」など、いろいろな言葉が思い浮かびます。もし「海底」と言いたいなら、続けて「海の底」と訓読みで言い換えるとわかりやすく、間違いがありません。

トークの場合、どうしても一つの文章が長くなり、「主語は誰だったっけ？」とわからなくなりがち。そんな時は、「○○の立場からみると」「これは○○さんの意見ですが」など、誰の視点か、誰の発言か、時間軸や場所なども補足すると話の内容がクリアになり、聞き手に負担がありません。

部下に指示する

- **リーダーさん・長老さん**
  ➡ 励まし・労い・お礼の言葉をプラス
- **妖精さん**
  ➡「天の声」できっぱり言うべきことを言う
- **クールさん ➡ 最後にほめよう**
- **セクシーさん ➡ 楽しさを強調**
- **ぼくとつさん ➡ 信念を誠実に伝えて**

リーダーさん、長老さんは、堂々とした声が場合によっては威圧的に聞こえてしまうことがあります。部下に指示をする時は、一通り指示が終わったら「半年前よりとても良くなっているよ」「よくやってくれて助かる」「君の1年後は見えているから大丈夫」など、励ましやねぎらいの言葉をちょい足ししましょう。怖さがやわらぐだけでなく、リーダーや長老タイプの堂々とした声でこう言ってもらえると重みがあり、言われたほうの喜びも大きいものです。また、一方的に通達するだけでなく、「あなたはどう思ったの?」「どうしたら良かったと思う?」と質問をはさむことで威圧感がやわらぎ、“意見を聞いてくれる、話せる上司”として尊敬を集めることができます。

部下にやる気になってもらうためにはほめ言葉も重要。リーダーさんタイプの場合は、「すごい、こんなの私にはできない」「こんなにできたら私も人生変わったのにな〜」など、時には自分をちょっと“下げる”感じでほめてあげると部下に親しまれます。

妖精さんタイプの声はともすれば、「頼りない」と思われがち。しかし、妖精さんの声が持つ何よりの強みは、神の領域ともいえる“静かな強さ”です。ぜひこれを利用しましょう。感情を入れず淡々と、「この度○○をすることが決まりました。あなたには□□を担当していただきたいと思います。それはあなたにとっても△△という観点から意義のあることです」と、理路整然とあたかも「天の声」のように言い渡すのです。キャラクターとしては、ジブリ映画「天空の城ラピュタ」のシータといった感じでしょうか。大声で強く言う必要はありません。ふわふわした持ち味をそのまま利用してあくまでも淡々と言い放つことでパワーが出ます。

クールさんは、合理性しか考えていないと思われると損。最後に感情的な部分を少し出しましょう。ここでの感情というのは、「相手に対する思い」です。「あなたの能力を見込んで、頼んだよ」「君の○○の仕事を見て、これをやってもらいたいとずっと考えていた」など、自分では「ほめ殺している」くらいの気持ちで語ってください。いつも感情表現が大きくないクールさんだからこそ、大事な場面で思いきり語ることで相手の心を動かすのです。

セクシーさんは、型にとらわれないクリエイティブなイメージを強調しましょう。「面白そうだから一緒にやりたい」と思ってもらうのです。直接的な言葉で「面白いと思うから一緒にやろう！」「初めての試みなんだけど、興味ある？」と誘ってください。

ぼくとつさんは、信念を誠実に伝えましょう。口数が少ない人なら、その仕事の重要性や、お願いしたい理由などをここぞという時にしっかり言うことで信念が伝わります。

謝罪する

- パリピさん ➡ 声小さめで口数少なく
- リーダーさん・長老さん
  ➡ アドバイスよりも傾聴
- クールさん ➡「聞いているよ」アピールを

パリピさんの声は、元気で明るいことが強みですが、実は謝罪が苦手です。一生懸命謝っても、生来のノリの良さからどこかふざけているように聞こえてしまうからです。これを回避するためには口数を少なくすること。たくさん話すと場にそぐわない快活さが目立ってしまいます。余分なことを言わず、ちょっと大げさなくらい大きめにうなずき、相手の怒りや不満をとことん聴きましょう。あいづちはハミングの声で（89ページのエクササイズ10参照）。相手が不満のたけを吐き出してすっきりしたところで丁寧に謝罪の言葉を述べましょう。

妖精さんの強く主張しない声は傾聴向きで謝罪は上手です。ぼくとつさんの温かくて真面目な印象の声も、謝罪向き。相手の怒りや不満を「そうだったんですね」「大変でしたね」と共感しながらひたすら聴き、最後に優しい声で「大変申し訳ありませんでした」と言えば、大事には至らず解決するでしょう。

謝罪の際にありがちな間違いが、解決案を提案し始めてしまうこと。リーダーさんは特に、強くしっかりした声なので、この

声で提案されてしまうと逆効果になることが多いようです。怒っている相手は、解決法を聞きたいのではなく、ただ怒りを吐き出したいのです。まずそれを全部吐き出してもらわないことには、どんなアドバイスも耳に入らないどころか、さらに怒りを増幅させてしまう可能性があります。

長老さんは、聴き役に回ってそのずっしりした声でうなずき、思いを受け止めてあげましょう。相手に意見をするのではなく、相手が話しやすいように、「うんうん」「そうかー」「それで?」などで話を促しましょう。あなたの地に足がついたような深い声を聞いて、相手の気持ちも落ち着いてくるはずです。

クールさんは、人が話しているとあいづちも打たず黙って聞く傾向があり、相手からしたら「自分の話には興味がないのか」「冷淡だ」と思われてしまいがち。相手が怒っている場合はよけい怒りを買ってしまう可能性があります。あいづちをたくさん打ちましょう。「うんうん」「なるほど」「わかります」「そうでしたか」など、納得や共感を声に出して示しましょう。

上手に断る

- 妖精さん ➡ 3回に1回はNoと言おう
- ぼくとつさん ➡ 鋭い質問で相手をひるませよう

妖精さんは声が優しいため、Noと言っても伝わらず嫌なことも引き受けるハメになりがち。この場合、小さく断っていくことがポイントです。たとえば、「これはできますがこれはできません」「明日ならできますが今すぐはできません」「半分ならできます」というように部分的に断るのです。引き受ける場合でも、「○日までなら」「ヘルプをつけていただければ」と条件付きで引き受ける。あるいは「今回だけですよ」「次回は別の方にお願いしてください」と制限をつける。要するに、「何でもやってくれる」と思わせないことです。3回に1回は断る、など自分でルール化しておいてもいいでしょう。妖精さんは、少しきつい言い方をしてもきつく感じられないことを利用して、線引きをはっきりさせることが大事です。

ぼくとつさんも、声がおっとりしているためにきっぱり言うのが苦手ですが、洞察力のある鋭いひと言で相手に一目置かれるという武器があります。何か嫌なことを押し付けられそうになったら、「なぜ、今、これなのでしょうか」「どうして私なのでしょうか」と短く、ゆっくり言ってみましょう。相手は虚を突かれるはず。大声が出せなくても、相手を驚かせるには十分です。そのすきに、「今回はできません。ごめんなさいっ」とかわいく言ってクロージングしましょう。

主張・反論する

▶妖精さん・ぼくとつさん
➡「意外と手ごわい人」と思わせる

妖精さんやぼくとつさんは声がソフトで威圧感がないため、存在感を発揮できず、「あの人は強く反論してこない」というレッテルを貼られてしまいがちです。時々自己主張をして、「意外と手ごわい人」と思わせる必要があります。

妖精さんは、「はぁい、えぇ、ふぅん、そうですかぁ」と、あいづちも優しくて、何でも受容してくれると思われてしまいます。優しいあいづちの合間に時々、「はいっ」「ええ」「そうですかっ」と語尾をきつくしたあいづちを混ぜると、相手も「あれ？　ちょっといつものように簡単にはいかないぞ」と気づくはずです。

妖精さんやぼくとつさんの声は強く自己主張をしないので、意見がないものとしてスルーされがち。議論中、会話が途切れた一瞬のすきをついて、「ちょっといいでしょうか」と「これ、反論になってしまうかもしれませんが」などのクッション言葉で割り込み、自分の主張を伝えましょう。妖精さんは、第４章でも述べたとおり「天の声」モードでひたむきに信念を述べ、人の心を動かすのが得意です。会話の中に割って入ることさえできれば、きちんと主張ができるはずです。慌てるそぶりを見せるとパワーが落ちますから、動じず淡々と主張しましょう。

しきる・まとめる

応援型、協調型、天上人型、ラスボス型を声タイプに合わせて選択

パリピさんの声質は、盛り上げてみんなをその気にさせるのが得意。リーダーさんは、みんなをぐいぐいひっぱっていくのが得意。どちらもしきる・まとめる場面では本領を発揮できるでしょう。ただ、声質に反して実はしきり役が苦手なパリピさん、リーダーさんもいますよね。その場合は「いいね！」「やるじゃん！」とメンバーを盛り上げ、メンバーたちが自ら動くような、応援型リーダーに徹しましょう。

リーダーさんの声質は、人を引っ張る求心力はありますが、強い・怖いイメージが前面に出てしまうとみんなの心が離れてしまうかも。リーダーとしてのゴールは示しつつ、みんなの意見を聞きながら“協調型のリーダー”を目指すとうまくいきます。

妖精さんタイプの声は、ぐいぐい人を引っ張っていくしきりは苦手。であれば、無理に強そうに振舞うのではなく、ふわふわと浮世離れした声を活かしましょう。滔々《とうとう》と信念を述べ“神の声”で人々を導いていく、“天上人型リーダー”を目指しましょう。

長老さんなら、“年長者に見える”という特徴を生かして一歩引いて全体を見渡しながら掌の上でころがすようにメンバーを動かしていく、ラスボス的なリーダーが向いています。

本番前の緊張対策

緊張する場面で息を止めてしまったり、顔がこわばってしまうと、よけい緊張します。この悪循環を防ぐ方法を紹介しましょう。習慣化こそ最強のトレーニングです。元々息が浅い、顔の筋肉が硬いという自覚がある方も、ぜひ日常生活の中で行ってください。

1　ストロー呼吸

鼻から息を吸い、ストローをくわえて息を出す時の口の形で細く長く口から吐きます。これを会場までの移動中や控室で待機している間も繰り返します。これで緊張して息を止めるということがなくなります。第一声が出しやすい、息が文末までもつというおまけもついてきます。

2　ぐるぐるマッサージ

緊張すると顔の筋肉が硬くなり、口が乾いて話しづらくなります。

① 両掌で両頬をぐるぐるマッサージ

② 舌を出して左右に大きく動かす

③ 舌を出したり入れたりする

この3つのエクササイズを行うことで、発音しやすくなるだけでなく、唾液が出て、口の渇きが軽減されます。最後は、あくびをしながらのびをして、「はあーっ」と大きなため息を吐きリラックスしましょう。

ハキハキ話そうとして、横に大きく口を開くのは逆効果。首に余分な力が入り、顎が動きにくくなり話しづらくなるからです。また舌は首

Column

の筋肉ともつながっているので、舌の動きも悪くなり、早口が難しくなります。口は、横ではなく前に少し突き出して縦に開けるようにしましょう。図のように唇の両脇を指で挟んで口を開く練習をすると、自然と縦に口が開くようになります。このフォームに変えて、早口がうまくできるようになった人もいます。

3　重心を下げる

　緊張すると、重心が上がり、上半身に力みが入ってしまうことが多いものです。しかし重心を下げようとして足に力が入ってしまうと、上半身を固めてしまい逆効果になります。そんな時は、重力に助けてもらいましょう。

　やり方は簡単。自分の足の裏からコードが下がって、地球の中心部（内核）にカチっとつながっているとイメージするだけです。さらに、自分の身体が地球の中心に向って磁石のように引き寄せられている、とイメージしてみてください。

　いかがですか？　ここまでうまくできた人は、さらに母なる地球が自分を支えてくれている巨大な力と拮抗するように、自分の身体は上に伸び上がるとイメージしてみましょう。胸を張ろう、顔を上げようとしなくても、のびやかに美しく立てるはずです。地球に守られ、ゲームのキャラクターのように何十倍にもパワーアップした気持ちにもなれる、というおまけつきです。

おわりに

最後までお読みくださり、ありがとうございました。

今、ようやく本書を書き終えて、目を閉じると浮かんでくるのは、今までに出会った愛すべき受講生の方々です。

「アニメ声だからアナウンサーになれない」と泣いたアイドルさん、「大人びたウィスパーボイスのせいで遊び人と思われる」と悩んでいたセクシーさん、「ぼそぼそした話し方をモノマネされて話すことが嫌になった」ぼくとつさん、やる気があるのに、「覇気がない、びしっとしろよ」と上司に叱られ傷ついていたクールさん、音量の調節ができず、「うるさい」と言われることを密かに悩んでいたリーダーさん。「工場現場で声が通らず指示ができない」と困っていた妖精さん、「野太い声でかわいくないから、婚活がうまくいかない」と嘆いていた長老さん、「早口すぎて何を言っているかさっぱりわからない」と言われショックを受けていたパリピさん…。

最初はみんな、今の自分の声が嫌で、「あれもこれもイヤ。全部丸ごと変えたいんです」「○○さんみたいな声で話したいんです」と言って、私の「声と話し方の教室」に受講に来られた方ばかりでした。本書の中で何度もお伝えしましたが、自分にないものを求めるよりも、今の声を活かして皆さんの魅力を引き出すことが私の目指すところです。そのことを受講生の皆さんにも理解していただき、レッスンを続けていくと、やがて耳が鍛えられ、自分の良いところも聞き分けられるようになります。すると、受講生の中に少しずつ変化が訪れます。

「自分の声は100点じゃないけど、そんなに悪くもないな」と思えるようになると、これまで自信がないから避けていたことにも挑戦するようになるのです。プレゼンが苦手だった人がプレゼンに挑戦してみたり、婚活をあきらめていた人が婚活をするようになったり（この方は素敵なパートナーを見つけて結婚されました）。行動が変わると、周囲の評価もポジティブなものに変わります。するとますます自信がつき、いつしか人生全体が変わっていくのです。私はそんな変化を、レッスンを通して何度も見てきました。

次はあなたの番です。「あれもできない、これもできない」と悩んで過ごす10年より「できることを活かそう」と考えて過ごす10年のほうが素敵だと思いませんか？　ぜひ、あなたの声を活かして、人生を輝かせてください。そのために本書が少しでもお役に立てればこんなに嬉しいことはありません。

最後になりますが、出版のきっかけを作ってくださったメイツ出版の清岡香奈さん、編集担当の石井栄子さんほか、多くの方々にお世話になりました。また本書は、音声医療分野で門外漢だった私に、惜しみなく学びの機会をくださった先生方との出会いがなければ生まれませんでした。

京都大学名誉教授の故一色信彦先生、執筆にあたって貴重な助言をくださった田邉正博先生、そして廣芝新也先生、大学院の先生方。また、この本を手に取ってくださったあなたにも。この場をお借りして深謝申し上げます。

若者の視点からいろいろとヒントをくれた子どもたち、陰ながら応援してくれた夫にも、ありがとう。

轟　美穂

■参考文献

『声の不思議　診察室からのアプローチ』（一色信彦著　中山書店　2006年）
『STのための音声障害診療マニュアル』（廣瀬 肇著・監修他　インテルナ出版　2008年）
『実践　音声治療マニュアル』（城本修・生井友紀子著　インテルナ出版　2012年）
『「医師」と「声楽家」が解き明かす発声のメカニズム』
（萩野仁志・後野仁彦著　音楽之友社　2004年）
『日本語音声学入門　改訂版』（斎藤純男著　三省堂　2006年）
『構音訓練のためのドリルブック　改訂版第２版』
（岡崎恵子・船山美奈子編著　協同医書出版社　2006年）
『声のふしぎ百科』（鈴木誠史著　丸善出版　2005年）
『声と話し方のトレーニング』（村上由美著　平凡社新書　2009年）
『声のサイエンス―あの人の声は、なぜ心を揺さぶるのか』
（山﨑広子著　NHK出版新書　2018年）
『日本語の発声レッスン　俳優編』（川和孝著　カナリアコミュニケーションズ　1981年）
『こえとことばのレッスン〈３表現編〉』（さきえつや著　晩成書房　1994年）

【著者】轟　美穂（とどろき みほ）
ボイスコネクション代表　スピーチコンサルタント　東京都生まれ。
短大卒業後、念願のラジオ局アナウンサーとなるも、滑舌の悪さと声量に悩み、独学で声の研究を始める。ラジオ局を退職後フリーアナウンサーを経て、俳協所属ナレーター。経済・情報番組のレポーター、ラジオパーソナリティ、TVナレーター、長野オリンピックなど国際イベントのアナウンサー、司会者として活動。京都移住をきっかけに、2006年より声と話し方の教室を主宰。指導実績20年で1万5千人を指導。そのほか、指導歴としては俳協ボイスアクターズスクール講師8年、耳鼻咽喉科のボイストレーナー 10年。通訳者など声を多用する専門職向けの研修、大学や自治体へも出講する。2015年、音声分野の学びを深めるため、県立広島大学大学院に社会人入学。長年の経験と、多分野における学びを経て、「自分の声の特性を理解し活かしていくことが、魅力を引き出すだけでなく、楽に長く話すための方法である」ことを伝えている。保健福祉学修士/国家資格キャリアコンサルタント/全国通訳案内士(英語)。
HP：www.voiceconnection.net
インスタグラム　https://www.instagram.com/mihotodoroki/

■ 編集・制作：有限会社イー・プランニング
■ 編集協力：石井栄子
■ イラスト：OKAME
■ DTP/ 本文デザイン：大野佳恵

声にコンプレックスがある人のための
「伝わる声」の作り方
タイプ別「声質を活かした話し方」で成果を出す!

2024年1月20日　第１版・第１刷発行

著　　者　轟　美穂（とどろき みほ）
発 行 者　株式会社メイツユニバーサルコンテンツ
　　　　　代表者　大羽孝志
　　　　　〒102-0093　東京都千代田区平河町一丁目1-8
印　　刷　株式会社厚徳社

ご意見・ご感想はホームページから承っております。
ウェブサイト　https://www.mates-publishing.co.jp/

企画担当：清岡香奈